A la mémoire de Jean Hugo

£4·10net

L'ART D'ÊTRE GRAND-PÈRE

Œuvres de Victor Hugo
parues dans la même collection :

QUATREVINGT-TREIZE
LES CHANSONS DES RUES ET DES BOIS
LES MISÉRABLES (3 volumes)
NOTRE-DAME DE PARIS
LA LÉGENDE DES SIÈCLES (2 volumes)
ODES ET BALLADES - LES ORIENTALES
CROMWELL
LES FEUILLES D'AUTOMNE - LES CHANTS DU CRÉPUSCULE
CHÂTIMENTS
THÉÂTRE. Amy Robsart - Marion de Lorme - Hernani - Le Roi s'amuse
THÉÂTRE. Lucrèce Borgia - Ruy Blas - Marie Tudor - Angelo, tyran de Padoue
LES TRAVAILLEURS DE LA MER
L'HOMME QUI RIT (2 volumes)
LES BURGRAVES

A paraître :

LE DERNIER JOUR D'UN CONDAMNÉ - CLAUDE GUEUX

Dans la collection Grand Format :

VICTOR HUGO. POÈMES
Choisis et présentés par Jean Gaudon

VICTOR HUGO

L'ART D'ÊTRE GRAND-PÈRE

Introduction, notes, index
bibliographie et chronologie
par
Bernard LEUILLIOT

GF
FLAMMARION

*On trouvera en fin de volume
une bibliographie, une chronologie
et un index des noms*

INTRODUCTION

Soyez illimités !
(IV,7)

L'Art d'être grand-père est le testament poétique de
Victor Hugo : ce sont — à soixante-quinze ans — ses
derniers vers. Aucun des poèmes publiés dans *Les
Quatre Vents de l'esprit* (1881), ou, à quelque chose
près, dans la « série complémentaire » de *La Légende
des siècles* (1883) n'est postérieur à 1875. La naissance,
à la fin de l'exil, de Georges et de Jeanne, les enfants de
Charles Hugo, ainsi que leur séjour à Guernesey au
cours de l'été 1870, sont à l'origine d'un projet qui
remonte au plus tard à 1871. Le 12 février, Victor
Hugo, qui venait d'être élu député de Paris, note dans
son carnet au moment de partir pour Bordeaux :
« J'emporte dans mon sac en bandoulière divers
manuscrits importants et œuvres commencées, entre
autres *Paris assiégé* et le poème du *Grand-Père*. » Son
intention était de corriger dans un autre livre les leçons
de *Paris assiégé*, future *Année terrible*. Destinées à se
compléter, les deux œuvres furent d'abord liées,
« l'ombre de l'une mêlée à la lumière de l'autre ».

Cet amalgame rappelle la conception, elle aussi
mêlée, de *Châtiments* et des *Contemplations*, finalement appelés à compenser l'un par l'autre l' « effet
rouge » et l' « effet bleu ». Les véritables destinataires

de *L'Année terrible* sont les jeunes héros de *L'Art d'être grand-père,* recueil dont la genèse s'inscrit en marge de *Paris assiégé.* Le titre de la dernière section de *L'Art d'être grand-père* — « Que les petits liront quand ils seront grands » — a pour origine les dédicaces inscrites par Victor Hugo en tête des exemplaires de *L'Année terrible* qu'il destinait aux deux enfants :

> à Georges
> (dans quinze ans d'ici)
> L'avenir me plaît tel que mon cœur le comprend
> Car moi je serai mort et toi tu seras grand.

> à Jeanne
> (dans quinze ans d'ici)
> Ta petite ombre emplit cette épopée étrange ;
> Lis, Jeanne ; et deviens femme en restant toujours ange.

L' « effet bleu » se devait de succéder à l' « effet rouge », comme la vision d'avenir qu'il s'agit d'opposer aux terreurs de l'histoire. Dédié à « petite Jeanne » pour son premier anniversaire, un poème de *L'Année terrible* met en évidence le scandale d'une enfance livrée aux « terreurs » du moment, mais aussi la promesse d'avenir qu'elle représente dans un « monde aux abois ». Sur le point de quitter ce monde, l'aïeul proteste alors de son « humilité », au nom d'une possible communication du berceau avec la tombe :

> Et je ne veux, après mes épreuves sans nombre
> Qu'un tombeau sur lequel se découpera l'ombre
> De vos berceaux dorés par le soleil levant.

L'art du grand-père — l'art, dit Hugo, d' « obéir aux petits » — se fonde sur l'évidente complicité des âges les plus extrêmes dans leur relation avec l'au-delà. Évidence d'ordre poétique : la naissance et la mort relèvent d'une même représentation métaphorique, celle de l'aurore, ou d'un « soleil levant ».

Quatrevingt-Treize, dont le projet remontait à 1862, succède, en 1874, à *L'Année terrible.* C'est l'histoire de

trois enfants réchappés des horreurs de la guerre civile
et adoptés par la République. Deux d'entre eux —
Georgette et René-Jean — portent, au sexe près, les
noms des petits Hugo, réchappés quant à eux de la
manifestation dirigée naguère à Bruxelles contre leur
grand-père, à qui l'on ne pardonnait pas d'avoir offert
l'asile de son domicile aux proscrits de la Commune.
L'art d'obéir aux petits veut, en effet, qu'on intercède
pour tous les misérables, qu'on en finisse avec l'enchaî-
nement des crimes et des peines à quoi, depuis des
siècles, se réduit l'histoire. L'ajournement, au profit de
Quatrevingt-Treize, du « poème du *Grand-Père* »
relève de ces écarts qu'on constate chez Hugo dans la
réalisation de ses projets les mieux fondés. Ils conti-
nuent d'appartenir à l'horizon des « choses à faire »
jusqu'à ce que des circonstances plus ou moins fortuites
leur redonnent un caractère d'urgence, compte tenu
qu'entre la circonstance et celui qui choisit de l'épouser
existe une convenance profonde, antérieure le plus
souvent à son apparition. La réalisation du projet qui
nous occupe est inséparable du vide créé par la
disparition successivement de Mme Victor Hugo, puis
de Charles et de François-Victor, et l'internement, en
1872, à Saint-Mandé, d'Adèle Hugo. Triple ou qua-
druple « fracture » qui laissait Victor Hugo seul en
présence de Georges et de Jeanne. Une page était
tournée. Le livre de *Mes Fils,* en 1874, fait une dernière
fois l'apologie du « cercle de famille » : « Un homme se
marie jeune... Le voilà avec des enfants... Ils sont
quatre, deux garçons et deux filles... Les années
passent, les enfants grandissent, l'homme mûrit... » Ce
ton est celui des pièces intimistes dont le nombre, dans
l'œuvre de Victor Hugo, avait justifié la publication en
1858 d'une anthologie : *Les Enfants,* ou *Le Livre des
mères.* Vers la même époque, Victor Hugo, dans
L'Ane, dénonçait avec férocité l'ordre patriarcal, « les
fils spectres râlant sous les pères vampires ». Finalement réservé, le poème ne devait paraître qu'en 1880,
trois ans après *L'Art d'être grand-père.*
   La plupart des poèmes consacrés aux enfants dans

L'Art d'être grand-père furent écrits après la mort de
Charles, et le rythme s'accélère après celle de François-
Victor. Une fois disparues les générations intermé-
diaires, aucune figure paternelle ne s'interposait plus
entre le poète et ses petits-enfants. Ceux-ci, désormais
n'ont plus de père, et leur grand-père a cessé lui-même
d'appartenir à l'ordre patriarcal. Il est devenu cet aïeul
anarchique montrant du doigt (XV, 1)

> L'armoire auguste où sont les pots de confiture.

Les pièces les plus fameuses — comme « Jeanne était
au pain sec... » — le représentent « dans la plénitude
de ce rôle dont la fonction première est le *don* : don
imaginaire de la lune et des étoiles, don, surtout, de
nourriture » (Anne Ubersfeld). Même la lune tant
désirée par Jeanne ressemble au fromage de la fable.
On aurait tort de sous-estimer ces poèmes que la
mémoire collective a choisi de retenir. Réduite à
l'anecdote qui en fait la réputation, leur portée s'en
trouve édulcorée et risque d'échapper. Elle se déduit de
l'ordonnance d'ensemble du recueil. Georges et Jeanne
n'y font figure que de témoins dans l'instruction d'un
procès dont les enjeux passent de loin les simples
données de la circonstance.

L'acte d'accusation est dressé dès l'ouverture :

Qu'est-ce que cette terre ? Une tempête d'âmes.
Dans cette ombre où, nochers errants, nous n'abordâmes
Jamais qu'à des écueils, les prenant pour des ports.

Ce ne sera pas trop de tout le livre pour tenter d'y
répondre. L'admirable cycle du *Jardin des Plantes* y
contribue d'abord, au triple point de vue de la création,
de l'histoire et de la poésie. « C'est du vaste univers un
raccourci complet » (IV, 1) : le rapport est ici du petit
au grand monde. Nous sommes reconduits au temps de
la Genèse et du Premier Jardin, de la façon dont on
verra plus loin (VII)

> Un grand déjà rêveur qui voudrait voir Guignol,
> Une fille essayant ses dents dans une pomme.

On peut y admirer, pour le meilleur et pour le pire, les excès de la « verve divine », les fantaisies d'un Dieu quelque peu mâtiné de Diable et qualifié de « vieux malin » (IV, 5). Loisir nous est donné, devant les cages où sont les monstres, d' « étudier Dieu », de juger la manière dont il « défait et refait, ride, éborgne, essorille » (IV, 1). Cette ménagerie est à l'image de notre monde. Les enfants y sont aussi chez eux, « épars sous ces grands arbres » (IV, 7), anges « ignorant Satan », « riant au monstre infâme » (IV, 8). Ainsi se trouve une première fois justifiée l'entrée dans le poème des enfants, confrontés à de « monstrueuses ébauches », preuve s'il en fut que le monde n'est, en effet, borné d'aucun côté : « étagère de tout ce que Dieu produit » (IV, 5). Le bien y compose avec le mal, comme « la fécondation de Tout produisant Rien » (IV, 8). Nous sommes au plus près de la définition par Hugo du principe d'immanence, qui consiste en ce que partout l'unité se compose d'infini. Le « prodige » — *monstre* ou *merveille* — relève de ce principe, et l'on aboutit à une nouvelle formulation de la question (IV, 9)

> Quelle est cette merveille effroyable et divine
> Où dans l'éden qu'on voit c'est l'enfer qu'on devine ?

Microcosme de la création, le Jardin des plantes est aussi allégorique de l'enfer historique : ancien Jardin du Roi sous l'intendance du ci-devant comte de Buffon, il avait été transformé par décret de la Convention en Muséum d'histoire naturelle. Il témoigne donc à sa façon et par analogie avec les excès de la verve divine de « la monstrueuse dépense que fait Satan de papes, de césars et de rois » (I, 2). Ce monument de 93 porte les marques de la violence léguée au xixe siècle par l'Ancien Régime et la Révolution. C'est un jardin « orné de loups », que ne déparerait pas la présence d'un Dupin (IV, 1). Les brouillons d'un poème destiné

aux *Nouveaux Châtiments* et consacré à dénoncer les
turpitudes de la Cour de Compiègne sont du reste
mêlés à ceux du cycle du Jardin :

> En attendant Sedan on contemplait cela ;
> Eh bien ! moi je préfère à ces spectacles-là,
> Tous beaux qu'ils sont, l'enfant admirant la pyrrhique
> Du macaque à l'œil jaune et du babouin lyrique ;
> Et la cage aux guenons où Priape est complet
> Plus que les à-peu-près de Compiègne me plaît.

L'enfant riant aux monstres est ainsi appelé à protes-
ter contre leur condition. Ils ont partie liée : tous sont
dans l'attente de « dire » ce qu'ils savent ou d' « avoir »
ce qu'ils veulent, de parler et de manger. Leurs figures
conjuguées sont celles de l'espérance et de la faim, des
misérables ou des « petits » en instance de soulèvement
contre la perpétuation de la « bête féodale » (IV, 8).
   Ce jardin est enfin un jardin « littéraire » (IV, 5).
L'opposition si fortement marquée par Hugo dans la
préface des *Odes* en 1826, entre l'ordre classique d'un
jardin de Le Nôtre et l'ordre naturel des forêts du
Nouveau-Monde, est démentie par l'ordonnance du
Jardin des plantes, puisque l'on y trouve mêlé, grâce à
Buffon,

> Le peigne de Le Nôtre aux effrayants cheveux
> De Pan, dieu des halliers, des rochers et des plaines,

à la façon dont peuvent s'y côtoyer « l'infiniment
grand » et « l'infiniment charmant » (IV, 7-8), les
monstres et les enfants. C'est au fond, dit Hugo, que le
« triage » n'exclut pas les « mélanges » : « l'unité, c'est
tout libre et c'est tout à sa place ; dans la variété,
l'unité, c'est l'ordre » (folio 250 du Reliquat). Celui-ci
n'a rien à voir ni avec l'ordre classique, celui de la
Rhétorique, ni avec l'ordre « naturel », qu'on pourrait
dire de la Terreur, ou du Romantisme. Rhétorique et
Terreur sont plutôt renvoyées dos à dos, et le paradoxe
littéraire, à savoir que « c'est la même expression, le
lieu commun, qui semble à la Terreur marquer l'escla-

vage et à la Rhétorique la libération de l'esprit » (Jean Paulhan), est devenu caduc. Il ne s'agit que de se situer au point de retournement de la Rhétorique en Terreur, point de fuite ou tache aveugle, point « sublime » aurait dit La Bruyère, d'une perspective à jamais instable.

L'usage trivial qu'on fait souvent de l'antithèse appelle les mêmes restrictions que la verve divine, en ce que par excès de Tout elle « manque de néant » (IV, 5). Elle n'a jamais été pour Hugo le « moteur à deux temps » auquel les meilleurs esprits s'obstinent à la comparer. Elle tiendrait plutôt du serpent amphisbène (IV, 4), dont la queue est aussi grosse que la tête et lui permet de marcher dans un sens aussi bien que dans l'autre. Le principe qui s'y trouve à l'œuvre est celui de l'égalisation infinie des contraires. Elle s'installe, non sans humour parfois, dans l'infinitude du contraste, dans l'entre-deux, par exemple, de la tragédie et de l'églogue (IV, 8), au lieu de vainement s'évertuer à en mesurer l'écart, et ne tend qu'à montrer à quel point l'unité se compose d'infini, ou de « néant ». L'esthé-tique qui lui correspond est celle, longtemps rêvée par Hugo, d'un mixte d' « idéal » et de « chimère », d'art grec et d'art « chinois » (ou « flamand »), que repré-sente assez bien l'idée qu'il s'était faite du style Louis XVI ou « rococo » : celui du vase brisé par Mariette (VI, 8), ou du labyrinthe du Jardin des plantes.

L'art du grand-père, l'art d'obéir aux petits, est inséparable d'une pratique poétique, qui consiste d'abord à se mettre à l'écoute de leur « murmure », aussi « indistinct, vague, confus, brouillé » qu'il puisse être (I, 3) : « Le babil des marmots est ma biblio-thèque » (XV, 7). Le murmure de l'enfant, son gazouil-lement, ses bégaiements réduisent à rien la paperasse imprimée et l'encombrement des bibliothèques. Aussi voit-on les trois enfants, dans *Quatrevingt-Treize,* se livrer au « carnage » d'un précieux in-quarto. Le sixième poème de la première section de *L'Art d'être grand-père* évoque ces « chants où flotte un mot »,

cette parole encore inarticulée « où tremblent des
ébauches », ces « bruits de vision » qui n'attendent que
d'être interprétés. Ce langage d'avant la division des
langues s'accommode aussi d'une poétique de l' « arabesque ». Formulée par Hugo dans son livre sur
Shakespeare (1864), elle est sous-entendue par l'évocation, ici, des « griffonnages de l'écolier » (VIII). Ceux-
ci sont au dessin ce que les bégaiements des enfants
sont à la poésie :

> Le gribouillage règne et sur chaque vers pose
> Les végétations de la métamorphose.

Plus loin est évoquée la façon dont Charles, l'écolier,
« a travaillé au dur chef-d'œuvre antique », et dont au

> bronze rouillé
> Il a plaqué le lierre, et dérangé la masse
> Du masque énorme avec une folle grimace.

Baudelaire avait comparé à l'image d'un thyrse la
concurrence que se font, dans une « mutuelle admiration », l'arabesque et la ligne droite, assez platement
réduites par lui à représenter le conflit de l' « expression » et de l' « intention ». Il s'agit ici de tout autre
chose : l'arabesque griffonnée « s'embranche à tous les
rêves ». On y distingue, à claire-voie, « toute la philosophie ». Il se fait dans le fini « une combinaison
d'infini » (*William Shakespeare*, II, 1, 2).

A cette philosophie de l'illimité correspond, dans le
dernier poème du cycle du Jardin, le rassemblement de
tous les points de vue : création, histoire, poésie. Les
monstres dans leurs cages y expient d'anciens crimes,
conformément à la mythologie hugolienne des âmes
réincarnées dans les bêtes en l'attente du pardon. Ils
sont décrits comme autant de « prisonniers terribles »
— « vil forçat », « arrogant proscrit » — que viennent
effleurer, par rayonnement, les voix et les regards de
leurs jeunes admirateurs, annonciateurs, dans ce

« demi-jour », d'une aube prochaine, à laquelle s'identifie l'enfance :

> Il leur semble sentir que leurs chaînes les quittent ;
> Les échevèlements des crinières méditent.
> On ne sait quelle attente émeut ces cœurs étranges,
> Quelle promesse au fond du sourire des anges.

Le *Poème du Jardin des Plantes* doit sa richesse au
réseau des motifs qui s'y croisent, « en un pêle-mêle
obscur de branchages augustes » (IV, 8). Il doit aussi
à la pluralité de ses références culturelles, qui vont des
récits de la Genèse à La Fontaine et aux courants de
pensée hérités de la physiocratie (Dupont de Nemours)
et du matérialisme expérimental. Les problèmes « de
physique, de morale et de poétique » dont s'entrete-
naient Diderot, le Dr Bordeu et d'Alembert, leur débat
sur la « sensibilité universelle » et le « branle » des
formes sont l'horizon face auquel se développe la
réflexion hugolienne à propos de la nature et de
l'histoire. Le poème semble répondre aux exigences
formulées par Dante dans son *Banquet,* par référence à
la doctrine patristique, des quatre sens de l'Écriture.
C'est donc littéralement et dans tous les sens (allégorique, moral et anagogique) qu'il convient de le lire.
Une manière de distinguer les trois sens spirituels
consistait depuis saint Thomas à les rapporter au
temps : passé (allégorique), présent (moral), futur
(anagogique). L'architecture de *La Fin de Satan,* marquée par l'alternance entre le drame qui se déroule
« hors de la terre » et la narration d'épisodes histori-
ques, restait tributaire des règles du merveilleux épique. Hugo a procédé cette fois à l'amalgame des trois
dimensions temporelles (« passé, présent et avenir
mêlés », folio 269 du Reliquat) : le temps présent est
contemporain de la création du monde, dans cette
clarté de demi-jour qui précède l'aube, promesse
d'avenir et de pardon.

Point nodal du recueil, *Le Poème du Jardin des
Plantes* en constitue aussi l'exposition : reste, une fois

connus le sujet et le contre-sujet, à en prévoir et à en suivre les développements.

Consacrés à Jeanne, trois poèmes de la section intitulée « Grand âge et bas âge mêlés » (VI, 4, 6, 8) constituent, sur le mode mineur, une première variation sur le thème de l'indulgence coupable mais finalement récompensée. Dans le premier, l'aïeul, quelque peu malmené, renonce à gronder. Dans le deuxième, sa « forfaiture » consiste à porter à l'enfant « proscrite » un pot de confiture. Jeanne, dans le dernier, prend sur elle la faute d'autrui, persuadée que l'aïeul pardonnera. Trois cas de figure sont ainsi exposés, selon que le grand âge se contente de pardonner, se fait complice, ou constate les effets de cette morale par l'exemple : *victus sed victor*. « Du côté de la barbe est la toute-puissance » : l'adage moliéresque se trouve ainsi paradoxalement confirmé, si l'on veut bien admettre que, comme le dit ailleurs Hugo, « puissance égale bonté », ou encore que la puissance ne trouve à s'exercer vraiment qu'à condition de s'annuler. Elle n'est finalement à son comble qu'au repos : « Le pardon, quel repos ! » (VI, 4).

Ce point d'ataraxie ne peut être atteint qu'à travers un mixte de « grand âge et de bas âge mêlés », dans cet espace privilégié où le berceau, en effet, communique avec la tombe (XVII), à la façon dont « le soir tremblant ressemble à l'aube frissonnante » (X, 5), loin des tyrannies paternelles, à l'écart de la société des hommes. Les conditions peuvent s'en trouver réalisées de deux façons : par la relation privilégiée qui s'établit du grand-père à ses petits-enfants, à l'exclusion de toute génération intermédiaire ; par l'exil auquel a consenti l'aïeul. Ce n'est évidemment pas le cas dans la société des pères, des « pères pourris », dit Hugo (XV, 1) qui leur préfère les « enfants gâtés ». Là il n'y a jamais que vainqueurs ou vaincus (XVIII, 4) :

La barbarie a fait de nos cœurs ses repaires
Et tient les fils après avoir tenu les pères,

à l'enseigne de la violence historique (XV, 9) :

> Un jour je fus parmi les vainqueurs, j'étouffais ;
> Je sentais à quel point vaincre est impitoyable ;
> Je pris la fuite. Un roc, une plage de sable
> M'accueillirent...

Hugo se souvient ici de s'être, en effet, trouvé, en juin 1848, du côté des vainqueurs, pour avoir fait partie des soixante représentants envoyés par l'Assemblée contre les barricades, avec les « épaulettes vertes ». Il s'en explique dans un texte très exactement contemporain du poème précédent (juin 1875) et destiné à servir de préface au premier volume d'*Actes et Paroles* (« Le Droit et la Loi », § VI). Hugo parle de lui à la troisième personne : « L'insurrection de juin fut fatale. [...] Il la combattit. [...] Mais après la victoire, il dut se séparer des vainqueurs. » Il faut se reporter au brouillon (Nouv. Acq. fr., 24777, f° 7) pour retrouver la substance du poème correspondant : « A partir de ce jour-là il a voulu être un des vaincus. [...] Il se dit que ce qui l'emportait, c'était le mensonge. Il vint à la république, il se rallia à la défaite, comprenant qu'il allait droit à la proscription et à l'exil, et y consentant. »

Fin de l'exil, proclamation de la République, troisième du nom, insurrection de la Commune : Victor Hugo se retrouve à Bruxelles, devant à nouveau choisir entre vainqueurs et vaincus. Le 25 mai 1871, le gouvernement belge refuse l'asile aux Communards. Le lendemain, Victor Hugo offre celui de sa demeure à tous les réfugiés. Dans la nuit du 27 au 28, une manifestation éclate sous ses fenêtres. La façade est lapidée aux cris de : « A mort Victor Hugo ! » Contemporain de l'événement, un premier poème lui est consacré dans *L'Année terrible* (« Mai. V »), en parallèle avec « Paris incendié » (« Mai. III »). Entre les deux, cette brève déploration :

> Est-il jour ? est-il nuit ? horreur crépusculaire !
> Toute l'ombre est livrée à l'immense colère.

Du 23 avril 1876, celui — sur le même sujet — de *L'Art d'être grand-père* est de peu antérieur au double récit qu'on peut lire dans la préface (« Paris et Rome », § IV-VI) du dernier volume d'*Actes et Paroles*. Victor Hugo y compare l'envahissement de son domicile par les insurgés de juin 1848 et la lapidation de Bruxelles, pour conclure à la responsabilité dans le premier cas de l'ignorance, et dans l'autre d'une éducation cléricale : « Le castrat faisant l'eunuque, cela s'appelle l'Enseignement libre. » La formule trouve un équivalent dans le poème correspondant, qui conclut à l'absolution, pour cause d'obscurantisme, de « l'assassin catholique et romain », « étouffé par le prêtre ». Mais le pardon n'est justifié, en fait, que s'il s'adresse aux « petits ». Il relève de cette entente si souvent marquée entre les âges les plus extrêmes :

> Je regardai.
>   Je vis, tout près de la croisée,
> Celui par qui la pierre avait été lancée ;
> Il était jeune encore, presque un enfant, déjà
> Un meurtrier.

Ce qui est conforme au principe énoncé ailleurs (XV, 9) :

> Je suis tendre aux petits, mais rude pour les pères.

Le prêtre et le père ont donc partie liée. Cette complicité permet de mieux comprendre la série de poèmes un peu hâtivement qualifiée d' « anti-cléricale ». Sans doute ne manquait-elle pas d'à-propos : la proclamation du dogme de l'Immaculée Conception, en 1854, du *Syllabus,* en 1864, du dogme de l'Infaillibilité pontificale, en 1870, le vote, en 1875, de la loi « dite liberté de l'enseignement » et l'obligation faite aux fidèles, en 1876, par l'encyclique *Saepe venerabilis fratres,* d'une contribution volontaire destinée à suppléer aux revenus dont le pape venait d'être privé, tout cela peut passer pour avoir justifié la déclaration fameuse de Gambetta, le 4 mai 1877 : « Le cléricalisme, voilà l'ennemi ! », aussi bien que l'opprobre dont Victor Hugo a cru devoir charger les « prêtres funèbres » (VII). Le même Gambetta s'était élevé l'année précédente contre l'amnistie réclamée par Hugo, avait qualifié la Commune d' « insurrection criminelle » et déclaré que les exilés de 1851 avaient été « sans profit pour la France » dans leur refus d'y rentrer. L'anticléricalisme qu'on attribue, non sans raison, à Victor Hugo ne saurait être celui de Gambetta, depuis que la croyance en Dieu est devenue chez lui le fondement de la conviction démocratique : « Il n'y a pas de roi parce qu'il y a un Dieu : toute monarchie est une usurpation de providence » (*Philosophie*, 1860). C'est un double combat que livre désormais Hugo, contre le parti-prêtre, contre le républicanisme athée. A « l'homme noir du clocher sombre », au « hibou » qui met les filles en fuite, tout droit sorti d'une chanson de Béranger, succède ici, dans le poème suivant, le curé qui « passe et ferme son bréviaire », pour « prier Dieu » (X, 4-5).

Victor Hugo a choisi de faire porter l'essentiel du débat sur le dogme de l'Immaculée Conception, le problème de la Chute et de la « tache originelle » (XV, 7). Celle-ci avait déjà servi d'argument à Lamartine et à Baudelaire pour juger irrecevable la leçon des *Misérables*. Le mal, donc, serait « dans les nouveaunés » (VII). Voyez la cohorte des Jeannes (XV, 7) :

> La Chute est leur vrai nom. Chacune porte en elle
> L'affreux venin d'Adam (bon style Patouillet).

A quoi semble s'opposer le poème *Mariée et mère* (VIII) :

> Voir la Jeanne de Jeanne ! ô ce serait mon rêve !

Il ne s'oppose pas tant au dogme de l'Immaculée Conception qu'il n'en généralise la portée. Élargissement ou renversement, qui prend appui sur l'érotisation de la nature, ainsi rendue à l'innocence du Premier

Jardin : « Dieu n'a fait l'univers que pour faire l'amour » (X, 3).

Mais voici paraître la Jeanne de Jeanne :

> Un jour, un frais matin quelconque, éblouissant,
> Épousera cette aube encore pleine d'étoiles ;
> Et quelque âme à cette heure errante sous les voiles
> Où l'on sent l'avenir en Dieu se reposer,
> Profitera pour naître ici-bas d'un baiser
> Que se donneront l'une à l'autre ces aurores.

« L'espace aime » (X, 6) : « chaste hymen », décidément, que cet embrassement de deux aurores dont aucune ne porte en elle l' « affreux venin d'Adam ». Ainsi se trouverait réalisé cette fois le « rêve » du poète, son désir d'un engendrement hors de toute paternité :

> Moi je ne serai plus qu'un œil profond dans l'ombre.

Engendrement an-archique, puisqu'on ne peut lui assigner aucune origine, aucune *autorité*, celle, par exemple, dont se réclame la loi des pères et que récusent les grands-pères « anarchiques » (XVI, 1). La dérision de l'ordre patriarcal fait aussi le sujet de *L'Épopée du lion* (XIII). Celui-ci contredit aux lois de sa propre nature et de la société des hommes : « Quel père indigne ! » s'écrie-t-il, avant de renoncer à dévorer l'enfant que son père avait abandonné.

Mais on se souviendra surtout ici de la façon, dans *Stella*, dont l'espace, à l'aube, se pénètre de lumière et dont l'étoile du matin fait s'évanouir « les mondes lugubres de la nuit » : « C'était une clarté qui pensait, qui vivait... On croyait voir une âme à travers une perle... Un ineffable amour emplissait l'étendue... » (*Châtiments*, VI, 15). Il ne s'agit, une fois de plus, que d'en finir avec Satan, par l'effet d'une naissance ou renaissance qu'évoquait déjà, dans son discours final, l'Ange Liberté :

> Permets que grâce à moi, dans l'azur baptismal
> Le monde rentre, afin que l'Eden reparaisse.

Il en sera donc, au Jardin des plantes, des bêtes en attente comme de Satan hors de la terre :

> quelle surprise
> Pour ces êtres méchants et tremblants à la fois
> D'entendre tout à coup venir ces jeunes voix !

Le « poème du *Grand-Père* » peut ainsi passer pour la version humorisée du poème de Satan, si souvent ajourné, inachevé et peut-être, comme on aime à dire, inachevable. Épopée, plutôt, de l'inachèvement, en ce qu'elle assumait d'emblée « le risque que l'histoire ne répondît à la projection prophétique par une grimace » (Jean Gaudon). Le fait est que pour Hugo, comme généralement pour les hommes de 1830, il ne pouvait plus être question de concevoir la fin de l'histoire, ni la fin de rien, ni de Satan ni des fléaux. Les leçons tirées des péripéties consécutives à son retour en France n'avaient pu de toute façon que confirmer Victor Hugo dans l'idée que « jamais les Moïses ne virent les Chanaans ». On est toujours, en un sens, au point zéro de l'histoire : « Nous ne sommes pas au but. Un reste de spectres plane. » On ne peut, dans ces conditions, que « tenir la clémence prête pour le coupable », mais pour « quand il sera terrassé et agenouillé ». C'est remettre à plus tard la fin de Satan et des enchaînements du crime et du châtiment, auxquels n'échappe que la complicité plus ou moins avouable du grand âge et du bas âge, de l'aïeul et de Jeanne. Il en résulte une contradiction dans la façon dont est représentée, tout au long du livre, la fonction du poète : c'est le portrait, tour à tour, de l'artiste en « belluaire » (I, 4) ou en « grand-père des fleurs et des oiseaux » (I, 6). Il arrive que son *rire* devienne *terrible,* et qu'il « gronde », sentant monter en lui « l'abîme » (VI, 2) :

> C'est dit, plus de chansons. L'avenir qu'il réclame
> Les peuples et leur droit, les rois et leur bravade
> Sont comme un tourbillon de tempête où cette âme
> S'évade.

Bonté et fureur sont appelées à se succéder à l'infini,
dans une mauvaise infinité où les deux ne coïncident
jamais. Cette représentation successive des deux points
de vue tient à ce qu'on ne peut, en fait, renvoyer
indéfiniment la bonté à l'illusion, ni accorder définitive-
ment la préséance à la fureur, à moins de « passer les
bornes » (XV, 1) qu'on assigne habituellement à des
termes finis (XV, 9) :

> Bonté, fureur. C'est là mon flux et mon reflux
> Et je ne suis borné d'aucun côté, pas plus
> Quand ma bouche sourit que lorsque ma voix gronde.

On songe à l'étoilement final du Satyre, à ce prodige
qui consiste aussi en un renversement de l'ordre du
monde. La vraie grandeur sera celle un jour des
misérables, ou des « petits » (XV, 9) :

> Je vous le dis, je suis un aïeul sans limite.
> ....
>   Je n'ai pas de raisons
> Pour ne point souhaiter les mêmes horizons,
> Les mêmes nations en chantant délivrées,
> Le même arrachement des fers et des livrées,
> Et la même grandeur sans tache et sans remords
> A nos enfants vivants qu'à nos ancêtres morts.

L'impasse est faite sur la génération des temps présents. L'idée d'une certaine proximité de la tombe et du
berceau s'en trouve d'autant confortée.

Primitivement destinée au seul Georges, par
contraste avec l'omniprésence, dans le reste du livre, de
« Jeanne endormie », la dernière section — « Que les
petits liront quand ils seront grands » — est à la fois de
récapitulation, de conclusion et d'ouverture à l'illimité.
On y revient, dès le premier poème, aux temps
présents et à l'enfer sur terre (*I. Patrie*), pour constater
que Dieu n'en finit pas de « trébucher », que le progrès
est « boiteux ». Les preuves s'accumulent, qui confir-

ment l'accusation portée au début du livre (« Parfois je me sens pris d'horreur pour cette terre... », I, 7 ; « Pourquoi... pourquoi... pourquoi...? », XVIII, 1). On aboutit à un constat d'impossibilité, celui de la déroute du poète et de la poésie devant ce qu'ils sont appelés à décrire et à nommer : la joie qui est dans les choses, *laetitia rerum* (I, 8). Ce sont les temps de l'imposture et du poète humilié (« Tous m'insultent ; l'un conseille de mettre à Charenton quiconque lit mes vers... », V). Il ne lui reste qu'à braver ce ridicule (*II. Persévérance*), en formulant le *pourtant* qui brise l'impossible :

N'importe. Allons au but, continuons. Les choses,
Quand l'homme tient la clef, ne sont pas longtemps closes.

Le pluriel précède l'appel au peuple, dans le poème suivant (*III. Progrès*). Le progrès s'y trouve redéfini par référence à la physique hugolienne du rayonnement :

Dans le soleil Dieu se devine.
Le rayon a l'âme divine
Et l'âme humaine a ses deux bouts.

La formule rejoint curieusement les thèses du panthéisme philosophique de l'École de Chartres, au XIIe siècle : « Tout amour reflue vers Dieu, duquel il est un effluve. » Principe, là encore, d'infinitisation, qui situe le progrès hors de ce qui est résultat ou réalité saisissable du pouvoir : « acceptation de l'aurore ». Le fait est que le jour succède à la nuit et que le cycle des saisons échappe à l'arbitraire des tyrans (I, 10) :

A quoi bon exiler, rois, à quoi bon proscrire ?
Proscrivez-vous l'été ?

La justice relève de l' « équité céleste », ou du « droit selon Dieu », et non pas de la « loi selon l'homme », qui n'aboutit qu'à faire des « rois-soleils » (*IV. Frater-*

nité). Héritée de la philosophie des lumières, l'opposition du *droit* et de la *loi* rappelle la manière dont s'étaient affrontés, à propos de la Révolution française, théocrates et historiens. Les premiers se réclamaient, eux aussi, d'un ordre « naturel » et de la contingence pour s'opposer à toute réforme, à toute constitution écrite, considérées comme autant de combinaisons pédantesques destinées à compromettre, par exemple, la nécessaire soumission des enfants à l'autorité paternelle, celle, aussi bien, du roi sur ses sujets. L'école historique exaltait, au contraire, la révolution de 89 comme l'aboutissement d'un effort plusieurs fois centenaire du Tiers, couronné par l' « octroi » de la Charte de 1814. « Essai manqué de paradis », objecte Hugo, qui ne saurait se satisfaire non plus d'un roi père de ses sujets, ni de la « fraternité » qu'il est censé leur garantir :

> La vieille âme du vieux Caïn, l'antique Haine
> Est là, voit notre éden et songe à sa géhenne,
> De sorte que Satan peut avec les maudits
> Rire de notre essai manqué de paradis.

Historiens et théocrates sont finalement renvoyés dos à dos. Il n'est pas d'ordre juste — historique ou naturel — qui puisse s'accommoder de la perpétuation des maudits. La « fraternité » suppose le pardon des misérables, qu'évoque, à la fin du poème, l'apparition de la « femme inconnue », dernière incarnation, chez Hugo, de l'Ange Liberté : « Des monstres attendris venaient, baisant son aile… Des lions graciés, des tigres repentants… » Le *Poème du Jardin des Plantes* trouve ici sa conclusion, qui consiste également dans cet avertissement final de l'ange au poète : « Tu me crois la pitié, fils, je suis la justice. » C'est que, loin de pouvoir être laissé à l'initiative individuelle, ou de dépendre d'une appréciation subjective, le pardon est lisible dans l'ordre du monde : « Il y aura une heure de pleine fraternité, comme il y a une heure de plein midi » (« Le Droit et la Loi », *Actes et Paroles. Avant l'exil*, juin

1875). Point d'équilibre, évidemment précaire, plutôt que point final. Son retour n'en est pas moins assuré, depuis l'acte fondateur, en 1792, de la République, associé ailleurs, par Hugo, à l'équinoxe : « Le 21 septembre fonda. Le 21 septembre, l'équinoxe, l'équilibre. *Libra*. La balance. Ce fut, suivant la remarque de Romme, sous ce signe de l'Égalité et de la Justice que la république fut proclamée. Une constellation fit l'annonce » (*Quatrevingt-Treize*, II, 3, 1, § 2). Il en est du progrès comme du cycle des saisons, manifestation, s'il en fut, de l'éternel retour du même, ainsi appelé à contredire les épreuves et les preuves dont nous accablent l'histoire et les historiens. Naturalisme inspiré de Démocrite, d'Épicure et de Lucrèce, inséparable, en tout cas, de la formule du « socialisme » selon Hugo : « Naturalisme et socialisme sont mêlés dans tous mes livres. La dominante est tantôt socialisme, tantôt naturalisme » (Reliquat des *Chansons des rues et des bois*).

La formule est d'évidence strictement poétique. Elle ne se confond pas avec les constructions du socialisme utopique : ce n'est pas un programme de gouvernement, ni le moyen de fonder la cité idéale. Sans doute n'exclut-elle pas la solidarité du poète avec son siècle. Elle exige qu'il consente aussi à la solitude et à l'exil :

> Je rêve la douceur, la bonté, la pitié
> Et le vaste pardon. De là ma solitude.

Solitude et fraternité mêlées : le cycle de Guernesey, par lequel s'ouvre le livre, est justifié par cet avant-dernier poème. La solitude de l'exilé garantit son aptitude à entrevoir la « vérité profonde », à *rêver* le « vaste pardon », comme s'il n'était de poésie que de l'exil, de l'âme ainsi contrainte « à la poursuite du vrai ».

C'est le titre du dernier poème : *L'Ame à la poursuite du vrai*. Victor Hugo avait d'abord écrit : *à la poursuite de Dieu*. C'est effectivement une manière de conclusion, qui peut passer cette fois pour optimiste, à la grande suite métaphysique consacrée dans les années

cinquante à tenter d' « approcher » Dieu par les voies
du poème ou de la poésie. La tentative relevait d'une
quête de l'impossible par celui, tour à tour, qui
« devant Dieu s'enfuit » ou qui « vers Dieu s'élance ».
Cela revenait, comme le souffle au poète l'Obscurité
elle-même, à « prendre la nuit pour une porte », au
lieu, comme ici, de la considérer comme illimitée,
comme le séjour, — ou la « demeure » — du poète qui
consent à « regarder en face le gouffre » :

> Je rentrerai dans ma demeure,
> Dans le noir monde illimité.

A quoi correspond l'élan d'une véritable fuite en avant.
Elle aboutit au renversement des « cultes infâmes » par
celui

> qui, la tête la première,
> Plonge éperdu dans la lumière
> A travers leur dieu ténébreux.

L'aube que croient voir poindre les monstres dans le
demi-jour du Jardin des plantes est tributaire de ce
mouvement, auquel se conforme l'image du poète « en
marche » (« Je m'en irai... moi, le curieux triste... moi
qui contemple... »), reprise du poème Ibo, dans *Les
Contemplations*.

   L'Art d'être grand-père retrace l'itinéraire d'un moi
qui devient autre, sans pour autant cesser d'être lui-
même : « exilé satisfait », « échevelé de l'air »,
« croyant de l'aurore » :

> Je forcerai bien Dieu d'éclore
> A force de joie et d'amour.

Déclaration qui peut passer pour exorbitante, mais par
excès d'humilité : du côté de l'amour est la toute-
puissance. Amour lointain, de l'exilé pour sa patrie, de
la barbe grise pour la tête blonde. Il ne s'agit en somme
que de posséder comme si l'on ne possédait pas, à la
façon dont la première lyrique occitane traitait de

l'*amour de loin.* L'opération qui vise à forcer Dieu d'éclore évoque aussi la *joie d'amour,* et la manière dont l'amour courtois, l'amour lointain, s'accorde au rythme des jours et des saisons, au va-et-vient de la roue céleste. Dante, et plus précisément la conclusion de *La Divine comédie,* inspire une dernière fois Hugo. Alors que les forces vont « manquer à sa vision », le désir et la volonté du poète se règlent sur l'Amour « qui fait mouvoir le soleil et les étoiles », *l'amor che move il sole e l'altre stelle. L'Art d'être grand-père* s'achève par cette « vision de Dante » et l'affirmation d'une confiance illimitée dans les pouvoirs d'une poésie elle aussi illimitée. Dieu se confond avec l'aurore : éclosion de la lumière, espacement infini du « vaste pardon », « éblouissement ».

L'art du grand-père, l'art d'obéir aux petits, est un art profond. Le traité que lui a consacré Victor Hugo joint la pratique à la théorie : la hauteur du propos n'exclut pas l'attention portée à des enfantillages. Cette disparité en fait toute la grandeur, qui a longtemps passé inaperçue. Conséquence d'un risque délibérément consenti par l'auteur, de voir son œuvre réduite à quelques morceaux d'anthologie qui prêtent à sourire, comme on sourit aux fredaines d'un vieillard qui n'a pour lui que l'excuse de l'âge. Jamais pourtant l'intervention des faiseurs d'anthologie n'aura autant manqué d'à-propos, puisque c'est ici l'un des livres les plus artistement construits par Victor Hugo. Architecture spacieuse, illimitée, à la mesure d'une orchestration qui vise à récapituler les thèmes répartis naguère entre *Châtiments* et *Contemplations.* On y perçoit aussi la résolution de très anciens accords, jusqu'alors réservés aux partitions inachevées de *Dieu* et de *Satan,* de « Satan pardonné ». Œuvre toute de mûrissement, sinon de pleine maturité : il n'appartient qu'au grand âge de savoir pardonner, au nom d'un certain consentement à l'anarchie, et à l'illimité.

Bernard LEUILLIOT.

L'ART D'ÊTRE GRAND-PÈRE

L'ART D'ÊTRE GRAND-PÈRE

I

À GUERNESEY[1]

I

L'EXILÉ SATISFAIT

Solitude ! silence ! oh ! le désert me tente.
L'âme s'apaise là, sévèrement contente ;
Là d'on ne sait quelle ombre on se sent l'éclaireur.
Je vais dans les forêts chercher la vague horreur ;
La sauvage épaisseur des branches me procure
Une sorte de joie et d'épouvante obscure ;
Et j'y trouve un oubli presque égal au tombeau.
Mais je ne m'éteins pas ; on peut rester flambeau
Dans l'ombre, et, sous le ciel, sous la crypte sacrée,
Seul, frissonner au vent profond de l'empyrée.
Rien n'est diminué dans l'homme pour avoir
Jeté la sonde au fond ténébreux du devoir.
Qui voit de haut, voit bien ; qui voit de loin, voit juste.
La conscience sait qu'une croissance auguste
Est possible pour elle, et va sur les hauts lieux
Rayonner et grandir, loin du monde oublieux.
Donc je vais au désert, mais sans quitter le monde.

Parce qu'un songeur vient, dans la forêt profonde
Ou sur l'escarpement des falaises, s'asseoir
Tranquille et méditant l'immensité du soir,

2

Il ne s'isole point de la terre où nous sommes.
Ne sentez-vous donc pas qu'ayant vu beaucoup
[d'hommes
On a besoin de fuir sous les arbres épais,
Et que toutes les soifs de vérité, de paix,
D'équité, de raison et de lumière, augmentent
Au fond d'une âme, après tant de choses qui mentent ?

Mes frères ont toujours tout mon cœur, et, lointain
Mais présent, je regarde et juge le destin ;
Je tiens, pour compléter l'âme humaine ébauchée,
L'urne de la pitié sur les peuples penchée,
Je la vide sans cesse et je l'emplis toujours.   [sourds.
Mais je prends pour abri l'ombre des grands bois

Oh ! j'ai vu de si près les foules misérables,
Les cris, les chocs, l'affront aux têtes vénérables,
Tant de lâches grandis par les troubles civils,
Des juges qu'on eût dû juger, des prêtres vils [contre,
Servant et souillant Dieu, prêchant pour, prouvant
J'ai tant vu la laideur que notre beauté montre,
Dans notre bien le mal, dans notre vrai le faux,
Et le néant passant sous nos arcs triomphaux,
J'ai tant vu ce qui mord, ce qui fuit, ce qui ploie
Que, vieux, faible et vaincu, j'ai désormais pour joie
De rêver immobile en quelque sombre lieu ;
Là, saignant, je médite ; et, lors même qu'un dieu
M'offrirait pour rentrer dans les villes la gloire,
La jeunesse, l'amour, la force, la victoire,
Je trouve bon d'avoir un trou dans les forêts,
Car je ne sais pas trop si je consentirais.

II

Qu'est-ce que cette terre ? Une tempête d'âmes.
Dans cette ombre, où, nochers errants, nous n'abor-
[dâmes

Jamais qu'à des écueils, les prenant pour des ports ;
Dans l'orage des cris, des désirs, des transports,
Des amours, des douleurs, des vœux, tas de nuées ;
Dans les fuyants baisers de ces prostituées
Que nous nommons fortune, ambition, succès ;
Devant Job qui, souffrant, dit : Qu'est-ce que je sais ?
Et Pascal qui, tremblant, dit : Qu'est-ce que je pense ?
Dans cette monstrueuse et féroce dépense
De papes, de césars, de rois, que fait Satan ;
En présence du sort tournant son cabestan
Par qui toujours — de là l'effroi des philosophes —
Sortent des mêmes flots les mêmes catastrophes ;
Dans ce néant qui mord, dans ce chaos qui ment,
Ce que l'homme finit par voir distinctement,
C'est, par-dessus nos deuils, nos chutes, nos descentes,
La souveraineté des choses innocentes.
Étant donnés le cœur humain, l'esprit humain,
Notre hier ténébreux, notre obscur lendemain,
Toutes les guerres, tous les chocs, toutes les haines,
Notre progrès coupé d'un traînement de chaînes,
Partout quelque remords, même chez les meilleurs,
Et par les vents soufflant du fond des cieux en pleurs
La foule des vivants sans fin bouleversée,
Certe, il est salutaire et bon pour la pensée,
Sous l'entre-croisement de tant de noirs rameaux,
De contempler parfois, à travers tous nos maux
Qui sont entre le ciel et nous comme des voiles,
Une profonde paix toute faite d'étoiles ;
C'est à cela que Dieu songeait quand il a mis
Les poètes auprès des berceaux endormis.

III

JEANNE FAIT SON ENTRÉE

Jeanne parle ; elle dit des choses qu'elle ignore ;
Elle envoie à la mer qui gronde, au bois sonore,

À la nuée, aux fleurs, aux nids, au firmament,
À l'immense nature un doux gazouillement,
Tout un discours, profond peut-être, qu'elle achève
Par un sourire où flotte une âme, où tremble un rêve,
Murmure indistinct, vague, obscur, confus, brouillé,
Dieu, le bon vieux grand-père, écoute émerveillé[2].

IV

VICTOR, SED VICTUS[3]

Je suis, dans notre temps de chocs et de fureurs,
Belluaire, et j'ai fait la guerre aux empereurs ;
J'ai combattu la foule immonde des Sodomes,
Des millions de flots et des millions d'hommes
Ont rugi contre moi sans me faire céder ;
Tout le gouffre est venu m'attaquer et gronder,
Et j'ai livré bataille aux vagues écumantes,
Et sous l'énorme assaut de l'ombre et des tourmentes
Je n'ai pas plus courbé la tête qu'un écueil ;
Je ne suis pas de ceux qu'effraie un ciel en deuil,
Et qui, n'osant sonder les styx et les avernes,
Tremblent devant la bouche obscure des cavernes ;
Quand les tyrans lançaient sur nous, du haut des airs,
Leur noir tonnerre ayant des crimes pour éclairs,
J'ai jeté mon vers sombre à ces passants sinistres ;
J'ai traîné tous les rois avec tous leurs ministres,
Tous les faux dieux avec tous les principes faux,
Tous les trônes liés à tous les échafauds,
L'erreur, le glaive infâme et le sceptre sublime,
J'ai traîné tout cela pêle-mêle à l'abîme ;
J'ai devant les césars, les princes, les géants
De la force debout sur l'amas des néants,
Devant tous ceux que l'homme adore, exècre, encense,
Devant les Jupiters de la toute-puissance,
Été quarante ans fier, indompté, triomphant ;
Et me voilà vaincu par un petit enfant.

V

L'AUTRE

                    [enchantent,
Viens, mon George. Ah ! les fils de nos fils nous
Ce sont de jeunes voix matinales qui chantent.
Ils sont dans nos logis lugubres le retour
Des roses, du printemps, de la vie et du jour !
Leur rire nous attire une larme aux paupières
Et de notre vieux seuil fait tressaillir les pierres ;
De la tombe entr'ouverte et des ans lourds et froids
Leur regard radieux dissipe les effrois ;
Ils ramènent notre âme aux premières années ;
Ils font rouvrir en nous toutes nos fleurs fanées ;
Nous nous retrouvons doux, naïfs, heureux de rien ;
Le cœur serein s'emplit d'un vague aérien ;
En les voyant on croit se voir soi-même éclore ;
Oui, devenir aïeul, c'est rentrer dans l'aurore.
Le vieillard gai se mêle aux marmots triomphants.
Nous nous rapetissons dans les petits enfants.
Et, calmés, nous voyons s'envoler dans les branches
Notre âme sombre avec toutes ces âmes blanches.

VI

GEORGES ET JEANNE

Moi qu'un petit enfant rend tout à fait stupide, [guide
J'en ai deux ; George et Jeanne ; et je prends l'un pour
Et l'autre pour lumière, et j'accours à leur voix,
Vu que George a deux ans et que Jeanne a dix mois.
Leurs essais d'exister sont divinement gauches ;
On croit, dans leur parole où tremblent des ébauches,

Voir un reste de ciel qui se dissipe et fuit ;
Et moi qui suis le soir, et moi qui suis la nuit,
Moi dont le destin pâle et froid se décolore,
J'ai l'attendrissement de dire : Ils sont l'aurore.
Leur dialogue obscur m'ouvre des horizons ;
Ils s'entendent entr'eux, se donnent leurs raisons.
Jugez comme cela disperse mes pensées.
En moi, désirs, projets, les choses insensées,
Les choses sages, tout, à leur tendre lueur,
Tombe, et je ne suis plus qu'un bonhomme rêveur.
Je ne sens plus la trouble et secrète secousse
Du mal qui nous attire et du sort qui nous pousse.
Les enfants chancelants sont nos meilleurs appuis.
Je les regarde, et puis je les écoute, et puis
Je suis bon, et mon cœur s'apaise en leur présence ;
J'accepte les conseils sacrés de l'innocence,
Je fus toute ma vie ainsi ; je n'ai jamais
Rien connu, dans les deuils comme sur les sommets,
De plus doux que l'oubli qui nous envahit l'âme
Devant les êtres purs d'où monte une humble flamme ;
Je contemple, en nos temps souvent noirs et ternis,
Ce point du jour qui sort des berceaux et des nids.

Le soir je vais les voir dormir. Sur leurs fronts calmes,
Je distingue ébloui l'ombre que font les palmes
Et comme une clarté d'étoile à son lever,
Et je me dis : À quoi peuvent-ils donc rêver ?
Georges songe aux gâteaux, aux beaux jouets étranges,
Au chien, au coq, au chat ; et Jeanne pense aux anges.
Puis, au réveil, leurs yeux s'ouvrent, pleins de rayons.

Ils arrivent, hélas ! à l'heure où nous fuyons.

Ils jasent. Parlent-ils ? Oui, comme la fleur parle
À la source des bois ; comme leur père Charle,
Enfant, parlait jadis à leur tante Dédé ;
Comme je vous parlais, de soleil inondé,
Ô mes frères[4], au temps où mon père, jeune homme,
Nous regardait jouer dans la caserne, à Rome,
À cheval sur sa grande épée, et tout petits.

Jeanne qui dans les yeux a le myosotis,   [frêles,
Et qui, pour saisir l'ombre entr'ouvrant ses doigts
N'a presque pas de bras ayant encor des ailes,
Jeanne harangue, avec des chants où flotte un mot,
Georges beau comme un dieu qui serait un marmot.
Ce n'est pas la parole, ô ciel bleu, c'est le verbe ;
C'est la langue infinie, innocente et superbe
Que soupirent les vents, les forêts et les flots ;
Les pilotes Jason, Palinure et Typhlos
Entendaient la sirène avec cette voix douce [émousse ;
Murmurer l'hymne obscur que l'eau profonde
C'est la musique éparse au fond du mois de mai
Qui fait que l'un dit : J'aime, et l'autre, hélas : J'aimai ;
C'est le langage vague et lumineux des êtres
Nouveau-nés, que la vie attire à ses fenêtres,
Et qui, devant avril, éperdus, hésitants,
Bourdonnent à la vitre immense du printemps.
Ces mots mystérieux que Jeanne dit à George,
C'est l'idylle du cygne avec le rouge-gorge,
Ce sont les questions que les abeilles font,
Et que le lys naïf pose au moineau profond ;
C'est ce dessous divin de la vaste harmonie,
Le chuchotement, l'ombre ineffable et bénie
Jasant, balbutiant des bruits de vision,
Et peut-être donnant une explication ;
Car les petits enfants étaient hier encore
Dans le ciel, et savaient ce que la terre ignore.
Ô Jeanne ! Georges ! voix dont j'ai le cœur saisi !
Si les astres chantaient, ils bégaieraient ainsi[5].
Leur front tourné vers nous nous éclaire et nous dore.
Oh ! d'où venez-vous donc, inconnus qu'on adore ?
Jeanne a l'air étonné ; Georges a les yeux hardis.
Ils trébuchent, encore ivres du paradis.

                            VII

Parfois, je me sens pris d'horreur pour cette terre ;
Mon vers semble la bouche ouverte d'un cratère ;

J'ai le farouche émoi
Que donne l'ouragan monstrueux au grand arbre ;
Mon cœur prend feu ; je sens tout ce que j'ai de marbre
      Devenir lave en moi ;

Quoi ! rien de vrai ! le scribe a pour appui le reître ;
Toutes les robes, juge et vierge, femme et prêtre,
      Mentent ou mentiront ;
Le dogme boit du sang, l'autel bénit le crime ;
Toutes les vérités, groupe triste et sublime,
      Ont la rougeur au front ;

La sinistre lueur des rois est sur nos têtes ;
Le temple est plein d'enfer ; la clarté de nos fêtes
      Obscurcit le ciel bleu ;
L'âme a le penchement d'un navire qui sombre ;
Et les religions, à tâtons, ont dans l'ombre
      Pris le démon pour Dieu !

Oh ! qui me donnera des paroles terribles ?
Oh ! je déchirerai ces chartes et ces bibles,
      Ces codes, ces korans !
Je pousserai le cri profond des catastrophes ;
Et je vous saisirai, sophistes, dans mes strophes,
      Dans mes ongles, tyrans.

Ainsi, frémissant, pâle, indigné, je bouillonne ;
On ne sait quel essaim d'aigles noirs tourbillonne
      Dans mon ciel embrasé ;
Deuil ! guerre ! une euménide en mon âme est éclose !
Quoi ! le mal est partout ! Je regarde une rose
      Et je suis apaisé.

VIII

LÆTITIA RERUM[6]

Tout est pris d'un frisson subit.
L'hiver s'enfuit et se dérobe.
L'année ôte son vieil habit ;
La terre met sa belle robe.

Tout est nouveau, tout est debout ;
L'adolescence est dans les plaines ;
La beauté du diable, partout,
Rayonne et se mire aux fontaines.

L'arbre est coquet ; parmi les fleurs
C'est à qui sera la plus belle ;
Toutes étalent leurs couleurs,
Et les plus laides ont du zèle.

Le bouquet jaillit du rocher ;
L'air baise les feuilles légères ;
Juin rit de voir s'endimancher
Le petit peuple des fougères.

C'est une fête en vérité,
Fête où vient le chardon, ce rustre ;
Dans le grand palais de l'été
Les astres allument le lustre.

On fait les foins. Bientôt les blés.
Le faucheur dort sous la cépée ;
Et tous les souffles sont mêlés
D'une senteur d'herbe coupée.

Qui chante là ? Le rossignol.
Les chrysalides sont parties.
Le ver de terre a pris son vol
Et jeté le froc aux orties ;

L'aragne sur l'eau fait des ronds ;
Ô ciel bleu ! l'ombre est sous la treille ;
Le jonc tremble, et les moucherons
Viennent vous parler à l'oreille ;

On voit rôder l'abeille à jeun,
La guêpe court, le frelon guette ;
À tous ces buveurs de parfum
Le printemps ouvre sa guinguette.

Le bourdon, aux excès enclin,
Entre en chiffonnant sa chemise ;
Un œillet est un verre plein,
Un lys est une nappe mise.

La mouche boit le vermillon
Et l'or dans les fleurs demi-closes,
Et l'ivrogne est le papillon,
Et les cabarets sont les roses.

De joie et d'extase on s'emplit,
L'ivresse, c'est la délivrance ;
Sur aucune fleur on ne lit :
Société de tempérance.

Le faste providentiel
Partout brille, éclate et s'épanche,
Et l'unique livre, le ciel,
Est par l'aube doré sur tranche.

Enfants, dans vos yeux éclatants
Je crois voir l'empyrée éclore ;
Vous riez comme le printemps
Et vous pleurez comme l'aurore.

IX

Je prendrai par la main les deux petits enfants ;
J'aime les bois où sont les chevreuils et les faons,
Où les cerfs tachetés suivent les biches blanches
Et se dressent dans l'ombre effrayés par les branches ;
Car les fauves sont pleins d'une telle vapeur
Que le frais tremblement des feuilles leur fait peur.
Les arbres ont cela de profond qu'ils vous montrent
Que l'éden seul est vrai, que les cœurs s'y rencontrent,
Et que, hors les amours et les nids, tout est vain ;
Théocrite souvent dans le hallier divin
Crut entendre marcher doucement la ménade.
C'est là que je ferai ma lente promenade
Avec les deux marmots. J'entendrai tour à tour
Ce que Georges conseille à Jeanne, doux amour,
Et ce que Jeanne enseigne à George. En patriarche
Que mènent les enfants, je réglerai ma marche
Sur le temps que prendront leurs jeux et leurs repas,
Et sur la petitesse aimable de leurs pas.
Ils cueilleront des fleurs, ils mangeront des mûres.
Ô vaste apaisement des forêts ! ô murmures !
Avril vient calmer tout, venant tout embaumer.
Je n'ai point d'autre affaire ici-bas que d'aimer.

X

PRINTEMPS

Tout rayonne, tout luit, tout aime, tout est doux ;
Les oiseaux semblent d'air et de lumière fous ;
L'âme dans l'infini croit voir un grand sourire.
À quoi bon exiler, rois ? à quoi bon proscrire ?
Proscrivez-vous l'été ? m'exilez-vous des fleurs ?

Pouvez-vous empêcher les souffles, les chaleurs,
Les clartés, d'être là, sans joug, sans fin, sans nombre,
Et de me faire fête, à moi banni, dans l'ombre ?
Pouvez-vous m'amoindrir les grands flots haletants,
L'océan, la joyeuse écume, le printemps
Jetant les parfums comme un prodigue en démence,
Et m'ôter un rayon de ce soleil immense ?
Non. Et je vous pardonne. Allez, trônez, vivez,
Et tâchez d'être rois longtemps, si vous pouvez.
Moi, pendant ce temps-là, je maraude, et je cueille,
Comme vous un empire, un brin de chèvrefeuille,
Et je l'emporte, ayant pour conquête une fleur.
Quand, au-dessus de moi, dans l'arbre, un querelleur,
Un mâle, cherche noise à sa douce femelle,
Ce n'est pas mon affaire et pourtant je m'en mêle,
Je dis : Paix là, messieurs les oiseaux, dans les bois !
Je les réconcilie avec ma grosse voix ;
Un peu de peur qu'on fait aux amants les rapproche.
Je n'ai point de ruisseau, de torrent, ni de roche ;
Mon gazon est étroit, et, tout près de la mer,
Mon bassin n'est pas grand, mais il n'est pas amer.
Ce coin de terre est humble et me plaît ; car l'espace
Est sur ma tête, et l'astre y brille, et l'aigle y passe,
Et le vaste Borée y plane éperdument.
Ce parterre modeste et ce haut firmament
Sont à moi ; ces bouquets, ces feuillages, cette herbe
M'aiment, et je sens croître en moi l'oubli superbe.
Je voudrais bien savoir comment je m'y prendrais
Pour me souvenir, moi l'hôte de ces forêts,
Qu'il est quelqu'un, là-bas, au loin, sur cette terre,
Qui s'amuse à proscrire, et règne, et fait la guerre,
Puisque je suis là seul devant l'immensité,
Et puisqu'ayant sur moi le profond ciel d'été
Où le vent souffle avec la douceur d'une lyre,
J'entends dans le jardin les petits enfants rire.

XI

FENÊTRES OUVERTES

LE MATIN. — EN DORMANT

J'entends des voix. Lueurs à travers ma paupière.
Une cloche est en branle à l'église Saint-Pierre[7].
Cris des baigneurs. Plus près ! plus loin ! non, par ici !
Non, par là ! Les oiseaux gazouillent, Jeanne aussi.
Georges l'appelle. Chant des coqs. Une truelle
Racle un toit. Des chevaux passent dans la ruelle.
Grincement d'une faulx qui coupe le gazon.   [maison.
Chocs. Rumeurs. Des couvreurs marchent sur la
Bruits du port. Sifflement des machines chauffées.
Musique militaire arrivant par bouffées.
Brouhaha sur le quai. Voix françaises. Merci.
Bonjour. Adieu. Sans doute il est tard, car voici
Que vient tout près de moi chanter mon rouge-gorge.
Vacarme de marteaux lointains dans une forge.
L'eau clapote. On entend haleter un steamer.
Une mouche entre. Souffle immense de la mer.

XII

UN MANQUE[8]

Pourquoi donc s'en est-il allé, le doux amour ?
Ils viennent un moment nous faire un peu de jour,
Puis partent. Ces enfants, que nous croyons les nôtres,
Sont à quelqu'un qui n'est pas nous. Mais les deux
                                              [autres,
Tu ne les vois donc pas, vieillard ? Oui, je les vois,
Tous les deux. Ils sont deux, ils pourraient être trois.
Voici l'heure d'aller se promener dans l'ombre

Des grands bois, pleins d'oiseaux dont Dieu seul sait le
[nombre
Et qui s'envoleront aussi dans l'inconnu.
Il a son chapeau blanc, elle montre un pied nu,
Tous deux sont côte à côte ; on marche à l'aventure,
Et le ciel brille, et moi je pousse la voiture.
Toute la plaine en fleur a l'air d'un paradis ;
Le lézard court au pied des vieux saules, tandis
Qu'au bout des branches vient chanter le rouge-gorge.
Mademoiselle Jeanne a quinze mois, et George
En a trente ; il la garde ; il est l'homme complet ;
Des filles comme ça font son bonheur ; il est
Dans l'admiration de ces jolis doigts roses,
Leur compare, en disant toutes sortes de choses,
Ses grosses mains à lui qui vont avoir trois ans,
Et rit ; il montre Jeanne en route aux paysans.
Ah dame ! il marche, lui ; cette mioche se traîne ;
Et Jeanne rit de voir Georges rire ; une reine
Sur un trône, c'est là Jeanne dans son panier ;
Elle est belle ; et le chêne en parle au marronnier,
Et l'orme la salue et la montre à l'érable,
Tant sous le ciel profond l'enfance est vénérable.
George a le sentiment de sa grandeur ; il rit
Mais il protège, et Jeanne a foi dans son esprit ;
Georges surveille avec un air assez farouche
Cette enfant qui parfois met un doigt dans sa bouche ;
Les sentiers sont confus et nous nous embrouillons.
Comme tout le bois sombre est plein de papillons,
Courons, dit Georges. Il veut descendre. Jeanne est
[gaie.
Avec eux je chancelle, avec eux je bégaie.
Oh ! l'adorable joie, et comme ils sont charmants !
Quel hymne auguste au fond de leurs gazouillements !
Jeanne voudrait avoir tous les oiseaux qui passent ;
Georges vide un pantin dont les ressorts se cassent,
Et médite ; et tous deux jasent ; leurs cris joyeux
Semblent faire partout dans l'ombre ouvrir des yeux ;
Georges, tout en mangeant des nèfles et des pommes,
M'apporte son jouet ; moi qui connais les hommes
Mieux que Georges, et qui sait les secrets du destin,

Je raccommode avec un fil son vieux pantin.
Mon Georges, ne va pas dans l'herbe ; elle est trempée.
Et le vent berce l'arbre, et Jeanne sa poupée.
On sent Dieu dans ce bois pensif dont la douceur
Se mêle à la gaîté du frère et de la sœur ;
Nous obéissons, Jeanne et moi, Georges commande ;
La nourrice leur chante une chanson normande,
De celles qu'on entend le soir sur les chemins,
Et Georges bat du pied, et Jeanne bat des mains.
Et je m'épanouis à leurs divins vacarmes,
Je ris ; mais vous voyez sous mon rire mes larmes,
Vieux arbres, n'est-ce pas ? et vous n'avez pas cru
Que j'oublierai jamais le petit disparu.

II

JEANNE ENDORMIE. — I

LA SIESTE

Elle fait au milieu du jour son petit somme ;
Car l'enfant a besoin du rêve plus que l'homme,
Cette terre est si laide alors qu'on vient du ciel !
L'enfant cherche à revoir Chérubin, Ariel,
Ses camarades, Puck, Titania, les fées,
Et ses mains quand il dort sont par Dieu réchauffées.
Oh ! comme nous serions surpris si nous voyions,
Au fond de ce sommeil sacré, plein de rayons,
Ces paradis ouverts dans l'ombre, et ces passages
D'étoiles qui font signe aux enfants d'être sages,
Ces apparitions, ces éblouissements !
Donc, à l'heure où les feux du soleil sont calmants,
Quand toute la nature écoute et se recueille,
Vers midi, quand les nids se taisent, quand la feuille
La plus tremblante oublie un instant de frémir,
Jeanne a cette habitude aimable de dormir ;
Et la mère un moment respire et se repose,
Car on se lasse, même à servir une rose.
Ses beaux petits pieds nus dont le pas est peu sûr
Dorment ; et son berceau, qu'entoure un vague azur
Ainsi qu'une auréole entoure une immortelle,
Semble un nuage fait avec de la dentelle ;

On croit, en la voyant dans ce frais berceau-là,
Voir une lueur rose au fond d'un falbala ;
On la contemple, on rit, on sent fuir la tristesse,
Et c'est un astre, ayant de plus la petitesse ;
L'ombre, amoureuse d'elle, a l'air de l'adorer ;
Le vent retient son souffle et n'ose respirer.
Soudain, dans l'humble et chaste alcôve maternelle,
Versant tout le matin qu'elle a dans sa prunelle,
Elle ouvre la paupière, étend un bras charmant,
Agite un pied, puis l'autre, et, si divinement
Que des fronts dans l'azur se penchent pour l'entendre,
Elle gazouille... — Alors, de sa voix la plus tendre,
Couvrant des yeux l'enfant que Dieu fait rayonner,
Cherchant le plus doux nom qu'elle puisse donner
À sa joie, à son ange en fleur, à sa chimère :
— Te voilà réveillée, horreur ! lui dit sa mère.

III

LA LUNE

I

Jeanne songeait, sur l'herbe assise, grave et rose ;
Je m'approchai : — Dis-moi si tu veux quelque chose,
Jeanne ? — car j'obéis à ces charmants amours,
Je les guette, et je cherche à comprendre toujours
Tout ce qui peut passer par ces divines têtes.
Jeanne m'a répondu : — Je voudrais voir des bêtes.
Alors je lui montrai dans l'herbe une fourmi.
— Vois ! Mais Jeanne ne fut contente qu'à demi.
— Non, les bêtes, c'est gros, me dit-elle.

                                                    Leur rêve,
C'est le grand. L'Océan les attire à sa grève,
Les berçant de son chant rauque, et les captivant
Par l'ombre, et par la fuite effrayante du vent ;
Ils aiment l'épouvante, il leur faut le prodige.
— Je n'ai pas d'éléphant sous la main, répondis-je.
Veux-tu quelque autre chose ? ô Jeanne, on te le doit !
Parle. — Alors Jeanne au ciel leva son petit doigt.
— Ça, dit-elle. — C'était l'heure où le soir commence.
Je vis à l'horizon surgir la lune immense.

II

CHOSES DU SOIR [9]

Le brouillard est froid, la bruyère est grise ;
Les troupeaux de bœufs vont aux abreuvoirs ;
La lune, sortant des nuages noirs,
Semble une clarté qui vient par surprise.

Je ne sais plus quand, je ne sais plus où,
Maître Yvon soufflait dans son biniou.

Le voyageur marche et la lande est brune ;
Une ombre est derrière, une ombre est devant ;
Blancheur au couchant, lueur au levant ;
Ici crépuscule, et là clair de lune.

Je ne sais plus quand, je ne sais plus où,
Maître Yvon soufflait dans son biniou.

La sorcière assise allonge sa lippe ;
L'araignée accroche au toit son filet ;
Le lutin reluit dans le feu follet
Comme un pistil d'or dans une tulipe.

Je ne sais plus quand, je ne sais plus où,
Maître Yvon soufflait dans son biniou.

On voit sur la mer des chasse-marées ;
Le naufrage guette un mât frissonnant ;
Le vent dit : demain ! l'eau dit : maintenant !
Les voix qu'on entend sont désespérées.

Je ne sais plus quand, je ne sais plus où,
Maître Yvon soufflait dans son biniou.

Le coche qui va d'Avranche à Fougère
Fait claquer son fouet comme un vif éclair ;
Voici le moment où flottent dans l'air
Tous ces bruits confus que l'ombre exagère.

Je ne sais plus quand, je ne sais plus où,
Maître Yvon soufflait dans son biniou.

Dans les bois profonds brillent des flambées ;
Un vieux cimetière est sur un sommet ;
Où Dieu trouve-t-il tout ce noir qu'il met
Dans les cœurs brisés et les nuits tombées ?

Je ne sais plus quand, je ne sais plus où,
Maître Yvon soufflait dans son biniou.

Des flaques d'argent tremblent sur les sables ;
L'orfraie est au bord des talus crayeux ;
Le pâtre, à travers le vent, suit des yeux
Le vol monstrueux et vague des diables.

Je ne sais plus quand, je ne sais plus où,
Maître Yvon soufflait dans son biniou.

Un panache gris sort des cheminées ;
Le bûcheron passe avec son fardeau ;
On entend, parmi le bruit des cours d'eau,
Des frémissements de branches traînées.

Je ne sais plus quand, je ne sais plus où,
Maître Yvon soufflait dans son biniou.

La faim fait rêver les grands loups moroses ;
La rivière court, le nuage fuit ;
Derrière la vitre où la lampe luit,
Les petits enfants ont des têtes roses.

Je ne sais plus quand, je ne sais plus où,
Maître Yvon soufflait dans son biniou.

III

Ah! vous voulez la lune? Où? dans le fond du puits?
Non; dans le ciel. Eh bien, essayons. Je ne puis.
Et c'est ainsi toujours. Chers petits, il vous passe
Par l'esprit de vouloir la lune, et dans l'espace
J'étends mes mains, tâchant de prendre au vol Phœbé.
L'adorable hasard d'être aïeul est tombé
Sur ma tête, et m'a fait une douce fêlure.
Je sens en vous voyant que le sort put m'exclure
Du bonheur, sans m'avoir tout à fait abattu.
Mais causons. Voyez-vous, vois-tu, Georges, vois-tu,
Jeanne? Dieu nous connaît, et sait ce qu'ose faire
Un aïeul, car il est lui-même un peu grand-père;
Le bon Dieu, qui toujours contre nous se défend,
Craint ceci: le vieillard qui veut plaire à l'enfant;
Il sait que c'est ma loi qui sort de votre bouche,
Et que j'obéirais; il ne veut pas qu'on touche
Aux étoiles, et c'est pour en être bien sûr
Qu'il les accroche aux clous les plus hauts de l'azur.

IV

— Oh! comme ils sont goulus! dit la mère parfois.
Il faut leur donner tout, les cerises des bois,
Les pommes du verger, les gâteaux de la table;
S'ils entendent la voix des vaches dans l'étable
Du lait! vite! et leurs cris sont comme une forêt
De Bondy quand un sac de bonbons apparaît.
Les voilà maintenant qui réclament la lune!

Pourquoi pas? Le néant des géants m'importune;
Moi j'admire, ébloui, la grandeur des petits.

Ah ! l'âme des enfants a de forts appétits,
Certes, et je suis pensif devant cette gourmande
Qui voit un univers dans l'ombre, et le demande.
La lune ! Pourquoi pas ? vous dis-je. Eh bien, après ?
Pardieu ! si je l'avais, je la leur donnerais.

C'est vrai, sans trop savoir ce qu'ils en pourraient faire,
Oui, je leur donnerais, lune, ta sombre sphère,
Ton ciel, d'où Swedenborg n'est jamais revenu,
Ton énigme, ton puits sans fond, ton inconnu !
Oui, je leur donnerais, en disant : Soyez sages !
Ton masque obscur qui fait le guet dans les nuages,
Tes cratères tordus par de noirs aquilons,
Tes solitudes d'ombre et d'oubli, tes vallons,
Peut-être heureux, peut-être affreux, édens ou bagnes,
Lune, et la vision de tes pâles montagnes.
Oui, je crois qu'après tout, des enfants à genoux
Sauraient mieux se servir de la lune que nous ;
Ils y mettraient leurs vœux, leur espoir, leur prière ;
Ils laisseraient mener par cette aventurière
Leurs petits cœurs pensifs vers le grand Dieu profond.
La nuit, quand l'enfant dort, quand ses rêves s'en vont,
Certes, ils vont plus loin et plus haut que les nôtres.
Je crois aux enfants comme on croyait aux apôtres ;
Et quand je vois ces chers petits êtres sans fiel
Et sans peur, désirer quelque chose du ciel,
Je le leur donnerais, si je l'avais. La sphère
Que l'enfant veut, doit être à lui, s'il la préfère.
D'ailleurs, n'avez-vous rien au delà de vos droits ?
Oh ! je voudrais bien voir, par exemple, les rois
S'étonner que des nains puissent avoir un monde !
Oui, je vous donnerais, anges à tête blonde,
Si je pouvais, à vous qui régnez par l'amour,
Ces univers baignés d'un mystérieux jour,
Conduits par des esprits que l'ombre a pour ministres,
Et l'énorme rondeur des planètes sinistres.
Pourquoi pas ? Je me fie à vous, car je vous vois,
Et jamais vous n'avez fait de mal. Oui, parfois,
En songeant à quel point c'est grand, l'âme innocente,
Quand ma pensée au fond de l'infini s'absente,

Je me dis, dans l'extase et dans l'effroi sacré,
Que peut-être, là-haut, il est, dans l'Ignoré,
Un dieu supérieur aux dieux que nous rêvâmes,
Capable de donner des astres à des âmes.

IV

LE POÈME
DU JARDIN DES PLANTES

I

Le comte de Buffon fut bonhomme, il créa
Ce jardin imité d'Évandre et de Rhéa
Et plein d'ours plus savants que ceux de la Sorbonne,
Afin que Jeanne y puisse aller avec sa bonne ;
Buffon avait prévu Jeanne, et je lui sais gré
De s'être dit qu'un jour Paris un peu tigré,
Complétant ses bourgeois par une variante,
La bête, enchanterait cette âme souriante ;
Les enfants ont des yeux si profonds, que parfois
Ils cherchent vaguement la vision des bois ;
Et Buffon paternel, c'est ainsi qu'il rachète
Sa phrase sur laquelle a traîné sa manchette,
Pour les marmots, de qui les anges sont jaloux,
A fait ce paradis suave, orné de loups [10].

J'approuve ce Buffon. Les enfants, purs visages,
Regardent l'invisible, et songent, et les sages
Tâchent toujours de plaire à quelqu'un de rêveur.

L'été dans ce jardin montre de la ferveur ;
C'est un éden où juin rayonne, où les fleurs luisent,

Où l'ours bougonne, et Jeanne et Georges m'y condui-
[sent.

C'est du vaste univers un raccourci complet.
Je vais dans ce jardin parce que cela plaît
À Jeanne, et que je suis contre elle sans défense.
J'y vais étudier deux gouffres, Dieu, l'enfance,
Le tremblant nouveau-né, le créateur flagrant,
L'infiniment charmant et l'infiniment grand,
La même chose au fond ; car c'est la même flamme
Qui sort de l'astre immense et de la petite âme.

Je contemple, au milieu des arbres de Buffon,
Le bison trop bourru, le babouin trop bouffon,
Des bosses, des laideurs, des formes peu choisies,
Et j'apprends à passer à Dieu ses fantaisies.
Dieu, n'en déplaise au prêtre, au bonze, au caloyer,
Est capable de tout, lui qui fait balayer
Le bon goût, ce ruisseau, par Nisard, ce concierge,
Livre au singe excessif la forêt, cette vierge,
Et permet à Dupin de ressembler aux chiens.
(Pauvres chiens !) — Selon l'Inde et les manichéens,
Dieu doublé du démon expliquerait l'énigme ;
Le paradis ayant l'enfer pour borborygme,
La Providence un peu servante d'Anankè,
L'infini mal rempli par l'univers manqué,
Le mal faisant toujours au bien quelque rature,
Telle serait la loi de l'aveugle nature ;
De là les contresens de la création.
Dieu, certe, a des écarts d'imagination ;
Il ne sait pas garder la mesure ; il abuse
De son esprit jusqu'à faire l'oie et la buse ;
Il ignore, auteur fauve et sans frein ni cordeau,
Ce point juste où Laharpe arrête Colardeau ;
Il se croit tout permis. Malheur à qui l'imite !
Il n'a pas de frontière, il n'a pas de limite ;
Et fait pousser l'ivraie au beau milieu du blé,
Sous prétexte qu'il est l'immense et l'étoilé ;
Il a d'affreux vautours qui nous tombent des nues ;
Il nous impose un tas d'inventions cornues,
Le bouc, l'auroch, l'isard et le colimaçon ;

Il blesse le bon sens, il choque la raison ;
Il nous raille ; il nous fait avaler la couleuvre !
Au moment où, contents, examinant son œuvre,
Rendant pleine justice à tant de qualités,
Nous admirons l'œil d'or des tigres tachetés,
Le cygne, l'antilope à la prunelle bleue,
La constellation qu'un paon a dans sa queue,
D'une cage insensée il tire le verrou,
Et voilà qu'il nous jette au nez le kangourou !
Dieu défait et refait, ride, éborgne, essorille,
Exagère le nègre, hélas, jusqu'au gorille,
Fait des taupes et fait des lynx, se contredit,
Mêle dans les halliers l'histrion au bandit,
Le mandrille au jaguar, le perroquet à l'aigle,
Lie à la parodie insolente et sans règle
L'épopée, et les laisse errer toutes les deux
Sous l'âpre clair-obscur des branchages hideux ;
Si bien qu'on ne sait plus s'il faut trembler ou rire,
Et qu'on croit voir rôder, dans l'ombre que déchire
Tantôt le rayon d'or, tantôt l'éclair d'acier,
Un spectre qui parfois avorte en grimacier.
Moi, je n'exige pas que Dieu toujours s'observe,
Il faut bien tolérer quelques excès de verve
Chez un si grand poète, et ne point se fâcher
Si celui qui nuance une fleur de pêcher
Et courbe l'arc-en-ciel sur l'Océan qu'il dompte,
Après un colibri nous donne un mastodonte !
C'est son humeur à lui d'être de mauvais goût,
D'ajouter l'hydre au gouffre et le ver à l'égout,
D'avoir en toute chose une stature étrange,
Et d'être un Rabelais d'où sort un Michel-Ange.
C'est Dieu ; moi je l'accepte.   [nés,
                         Et quant aux nouveau-
De même. Les enfants ne nous sont pas donnés
Pour avoir en naissant les façons du grand monde ;
Les petits en maillot, chez qui la sève abonde,
Poussent l'impolitesse assez loin quelquefois ;
J'en conviens. Et parmi les cris, les pas, les voix,
Les ours et leurs cornacs, les marmots et leurs mères,
Dans ces réalités semblables aux chimères,

Ébahi par le monstre et le mioche, assourdi
Comme par la rumeur d'une ruche à midi,
Sentant qu'à force d'être aïeul on est apôtre,
Questionné par l'un, escaladé par l'autre,
Pardonnant aux bambins le bruit, la fiente aux nids,
Et le rugissement aux bêtes, je finis
Par ne plus être, au fond du grand jardin sonore,
Qu'un bonhomme attendri par l'enfance et l'aurore,
Aimant ce double feu, s'y plaisant, s'y chauffant,
Et pas moins indulgent pour Dieu que pour l'enfant.

II

Les bêtes, cela parle ; et Dupont de Nemours
Les comprend, chants et cris, gaîté, colère, amours.
C'est dans Perrault un fait, dans Homère un prodige ;
Phèdre prend leur parole au vol et la rédige ;
La Fontaine, dans l'herbe épaisse et le genêt
Rôdait, guettant, rêvant, et les espionnait ;
Ésope, ce songeur bossu comme le Pinde,
Les entendait en Grèce, et Pilpaï dans l'Inde ;
Les clairs étangs le soir offraient leurs noirs jargons
A monsieur Florian, officier de dragons ;
Et l'âpre Ézéchiel, l'affreux prophète chauve,
Homme fauve, écoutait parler la bête fauve.
Les animaux naïfs dialoguent entr'eux.
Et toujours, que ce soit le hibou ténébreux,   [braire,
L'ours qu'on entend gronder, l'âne qu'on entend
Ou l'oie apostrophant le dindon, son grand frère,
Ou la guêpe insultant l'abeille sur l'Hybla,
Leur bêtise à l'esprit de l'homme ressembla.

III

CE QUE DIT LE PUBLIC

CINQ ANS

Les lions, c'est des loups.

SIX ANS

C'est très méchant, les bêtes.

CINQ ANS

Oui.

SIX ANS

Les petits oiseaux ce sont des malhonnêtes ;
Ils sont des sales.

CINQ ANS

Oui.

SIX ANS, *regardant les serpents.*

Les serpents...

CINQ ANS, *les examinant.*

C'est en peau.

SIX ANS

Prends garde au singe ; il va te prendre ton chapeau.

CINQ ANS, *regardant le tigre.*

Encore un loup !

SIX ANS

Viens voir l'ours avant qu'on le couche.

CINQ ANS, *regardant l'ours.*

Joli !

SIX ANS

Ça grimpe.

CINQ ANS, *regardant l'éléphant.*

Il a des cornes dans la bouche.

SIX ANS

Moi, j'aime l'éléphant, c'est gros.

SEPT ANS, *survenant et les arrachant*
à la contemplation de l'éléphant.

Allons ! venez !
Vous voyez bien qu'il va vous battre avec son nez [11].

IV

À GEORGES

Mon doux Georges, viens voir une ménagerie
Quelconque, chez Buffon, au cirque, n'importe où ;
Sans sortir de Lutèce allons en Assyrie,
Et sans quitter Paris partons pour Tombouctou.

Viens voir les léopards de Tyr, les gypaètes,
L'ours grondant, le boa formidable sans bruit,
Le zèbre, le chacal, l'once, et ces deux poètes,
L'aigle ivre de soleil, le vautour plein de nuit.

Viens contempler le lynx sagace, l'amphisbène [12]
À qui Job comparait son faux ami Sepher,
Et l'obscur tigre noir, dont le masque d'ébène
A deux trous flamboyants par où l'on voit l'enfer.

Voir de près l'oiseau fauve et le frisson des ailes,
C'est charmant ; nous aurons, sous de très sûrs abris,
Le spectacle des loups, des jaguars, des gazelles,
Et l'éblouissement divin des colibris.

Sortons du bruit humain. Viens au jardin des plantes.
Penchons-nous, à travers l'ombre où nous étouffons
Sur les douleurs d'en bas, vaguement appelantes,
Et sur les pas confus des inconnus profonds.

L'animal, c'est de l'ombre errant dans les ténèbres ;
On ne sait s'il écoute, on ne sait s'il entend ;
Il a des cris hagards, il a des yeux funèbres ;
Une affirmation sublime en sort pourtant.

Nous qui régnons, combien de choses inutiles
Nous disons, sans savoir le mal que nous faisons !
Quand la vérité vient, nous lui sommes hostiles,
Et contre la raison nous avons des raisons.

Corbière à la tribune et Frayssinous en chaire
Sont fort inférieurs à la bête des bois ;
L'âme dans la forêt songe et se laisse faire ;
Je doute dans un temple, et sur un mont je crois.

Dieu par les voix de l'ombre obscurément se nomme ;
Nul Quirinal ne vaut le fauve Pélion ;
Il est bon, quand on vient d'entendre parler l'homme,
D'aller entendre un peu rugir le grand lion.

V

ENCORE DIEU,
MAIS AVEC DES RESTRICTIONS [13]

Quel beau lieu ! Là le cèdre avec l'orme chuchote,
L'âne est lyrique et semble avoir vu Don Quichotte,
Le tigre en cage a l'air d'un roi dans son palais,
Les pachydermes sont effroyablement laids ;
Et puis c'est littéraire, on rêve à des idylles
De Viennet en voyant bâiller les crocodiles.

Là, pendant qu'au babouin la singesse se vend,
Pendant que le baudet contemple le savant,
Et que le vautour fait au hibou bon visage,
Certes, c'est un emploi du temps digne d'un sage
De s'en aller songer dans cette ombre, parmi
Ces arbres pleins de nids, où tout semble endormi
Et veille, où le refus consent, où l'amour lutte,
Et d'écouter le vent, ce doux joueur de flûte.

[grands ;
Apprenons, laissons faire, aimons, les cieux sont
Et devenons savants, et restons ignorants.
Soyons sous l'infini des auditeurs honnêtes ;
Rien n'est muet ni sourd ; voyons le plus de bêtes
Que nous pouvons ; tirons partie de leurs leçons.
Parce qu'autour de nous tout rêve, nous pensons.
L'ignorance est un peu semblable à la prière ;
L'homme est grand par devant et petit par derrière ;
C'est, d'Euclide à Newton, de Job à Réaumur,
Un indiscret qui veut voir par-dessus le mur,
Et la nature, au fond très moqueuse, paraphe
Notre science avec le cou de la girafe.
Tâchez de voir, c'est bien. Épiez. Notre esprit
Pousse notre science à guetter ; Dieu sourit,
Vieux malin.

               Je l'ai dit, Dieu prête à la critique.
Il n'est pas sobre. Il est débordant, frénétique,
Inconvenant ; ici le nain, là le géant,
Tout à la fois ; énorme ; il manque de néant.
Il abuse du gouffre, il abuse du prisme.
Tout, c'est trop. Son soleil va jusqu'au gongorisme ;
Lumière outrée. Oui, Dieu vraiment est inégal ;
Ici la Sibérie, et là le Sénégal ;
Et partout l'antithèse ! il faut qu'on s'y résigne ;
S'il fait noir le corbeau, c'est qu'il fit blanc le cygne ;
Aujourd'hui Dieu nous gèle, hier il nous chauffait.
Comme à l'académie on lui dirait son fait !
Que nous veut la comète ? À quoi sert le bolide ?
Quand on est un pédant sérieux et solide,
Plus on est ébloui, moins on est satisfait ;

La férule à Batteux, le sabre à Galifet
Ne tolèrent pas Dieu sans quelque impatience ;
Dieu trouble l'ordre ; il met sur les dents la science ;
À peine a-t-on fini qu'il faut recommencer ;
Il semble que l'on sent dans la main vous glisser
On ne sait quel serpent tout écaillé d'aurore.
Dès que vous avez dit : assez ! il dit : encore !

Ce démagogue donne au pauvre autant de fleurs
Qu'au riche ; il ne sait pas se borner ; ses couleurs,
Ses rayons, ses éclairs, c'est plus qu'on ne souhaite.
Ah ! tout cela fait mal aux yeux ! dit la chouette.
Et la chouette, c'est la sagesse.

                                        Il est sûr
Que Dieu taille à son gré le monde en plein azur ;
Il mêle l'ironie à son tonnerre épique ;
Si l'on plane il foudroie et si l'on broute il pique.
(Je ne m'étonne pas que Planche eût l'air piqué.)
Le vent, voix sans raison, sorte de bruit manqué,
Sans jamais s'expliquer et sans jamais conclure,
Rabâche, et l'océan n'est pas exempt d'enflure.
Quant à moi, je serais, j'en fais ici l'aveu,
Curieux de savoir ce que diraient de Dieu,
Du monde qu'il régit, du ciel qu'il exagère,
De l'infini, sinistre et confuse étagère,
De tout ce que ce Dieu prodigue, des amas
D'étoiles de tout genre et de tous les formats,
De sa façon d'emplir d'astres le télescope,
Nonotte et Baculard dans le café Procope.

VI

À JEANNE [14]

Je ne te cache pas que j'aime aussi les bêtes ;
Cela t'amuse, et moi cela m'instruit ; je sens

Que ce n'est pas pour rien qu'en ces farouches têtes
Dieu met le clair-obscur des grands bois frémissants.

Je suis le curieux qui, né pour croire et plaindre,
Sonde, en voyant l'aspic sous des roses rampant,
Les sombres lois qui font que la femme doit craindre
Le démon, quand la fleur n'a pas peur du serpent.

Pendant que nous donnons des ordres à la terre,
Rois copiant le singe et par lui copiés,
Doutant s'il est notre œuvre ou s'il est notre père,
Tout en bas, dans l'horreur fatale, sous nos pieds,

On ne sait quel noir monde étonné nous regarde
Et songe, et sous un joug, trop souvent odieux,
Nous courbons l'humble monstre et la brute hagarde
Qui, nous voyant démons, nous prennent pour des
                                                  [dieux.

Oh ! que d'étranges lois ! quel tragique mélange !
Voit-on le dernier fait, sait-on le dernier mot,
Quel spectre peut sortir de Vénus, et quel ange
Peut naître dans le ventre affreux de Béhémoth ?

Transfiguration ! mystère ! gouffre et cime !
L'âme rejettera le corps, sombre haillon ;
La créature abjecte un jour sera sublime,
L'être qu'on hait chenille on l'aime papillon.

                              VII

Tous les bas âges sont épars sous ces grands arbres.
Certes, l'alignement des vases et des marbres,
Ce parterre au cordeau, ce cèdre résigné,
Ce chêne que monsieur Despréaux eut signé,
Ces barreaux noirs croisés sur la fleur odorante,
Font honneur à Buffon qui fut l'un des Quarante

Et mêla, de façon à combler tous nos vœux,
Le peigne de Lenôtre aux effrayants cheveux
De Pan, dieu des halliers, des rochers et des plaines ;
Cela n'empêche pas les roses d'être pleines
De parfums, de désirs, d'amour et de clarté ;
Cela n'empêche pas l'été d'être l'été ;
Cela n'ôte à la vie aucune confiance ;
Cela n'empêche pas l'aurore en conscience
D'apparaître au zénith qui semble s'élargir,
Les enfants de jouer, les monstres de rugir.

Un bon effroi joyeux emplit ces douces têtes. [bêtes !
Écoutez-moi ces cris charmants. — Viens voir les
Ils courent. Quelle extase ! On s'arrête devant
Des cages où l'on voit des oiseaux bleus rêvant
Comme s'ils attendaient le mois où l'on émigre.
— Regarde ce gros chat. — Ce gros chat c'est le tigre.
Les grands font aux petits vénérer les guenons,
Les pythons, les chacals, et nomment par leurs noms
Les vieux ours qui, dit-on, poussent l'humeur maligne
Jusqu'à manger parfois des soldats de la ligne.

Spectacle monstrueux ! Les gueules, les regards
De dragon, lueur fauve au fond des bois hagards,
Les écailles, les dards, la griffe qui s'allonge,
Une apparition d'abîme, l'affreux songe
Réel que l'œil troublé des prophètes amers
Voit sous la transparence effroyable des mers
Et qui se traîne épars dans l'horreur inouïe,
L'énorme bâillement du gouffre qui s'ennuie,
Les mâchoires de l'hydre ouvertes tristement,
On ne sait quel chaos blême, obscur, inclément,
Un essai d'exister, une ébauche de vie
D'où sort le bégaiement furieux de l'envie.
C'est cela l'animal ; et c'est ce que l'enfant
Regarde, admire et craint, vaguement triomphant ;
C'est de la nuit qu'il vient contempler, lui l'aurore.
Ce noir fourmillement mugit, hurle, dévore ;
On est un chérubin rose, frêle et tremblant ;
On va voir celui-ci que l'hiver fait tout blanc,

Cet autre dont l'œil jette un éclair du tropique ;
Tout cela gronde, hait, menace, siffle, pique,
Mord ; mais par sa nourrice on se sent protéger ;
Comme c'est amusant d'avoir peur sans danger !
Ce que l'homme contemple, il croit qu'il le découvre.
Voir un roi dans son antre, un tigre dans son Louvre [15],
Cela plaît à l'enfance. — Il est joliment laid !   [plaît !
Viens voir ! — Étrange instinct ! Grâce à qui l'horreur
On vient chercher surtout ceux qu'il faut qu'on évite.
— Par ici ! — Non, par là ! — Tiens, regarde ! — Viens
[vite !
— Jette-leur ton gâteau. — Pas tout. — Jette toujours.
— Moi, j'aime bien les loups. — Moi, j'aime mieux les
[ours.
Et les fronts sont riants, et le soleil les dore,
Et ceux qui, nés d'hier, ne parlent pas encore,
Pendant ces brouhahas sous les branchages verts,
Sont là, mystérieux, les yeux tout grands ouverts,
Et méditent.

                    Afrique aux plis infranchissables,
Ô gouffre d'horizons sinistres, mer des sables,
Sahara, Dahomey, lac Nagaïn, Darfour,
Toi, l'Amérique, et toi, l'Inde, âpre carrefour
Où Zoroastre fait la rencontre d'Homère,
Paysages de lune où rôde la chimère,
Où l'orang-outang marche un bâton à la main,
Où la nature est folle et n'a plus rien d'humain,
Jungles par les sommeils de la fièvre rêvées,
Plaines où brusquement on voit des arrivées
De fleuves tout à coup grossis et déchaînés,
Où l'on entend rugir les lions étonnés
Que l'eau montante enferme en des îles subites,
Déserts dont les gavials sont les noirs cénobites,
Où le boa, sans souffle et sans tressaillement,
Semble un tronc d'arbre à terre et dort affreusement,
Terre des baobabs, des bambous, des lianes,
Songez que nous avons des Georges et des Jeannes,
Créez des monstres ; lacs, forêts, avec vos monts,
Vos noirceurs et vos bruits, composez des mammons ;

Abîmes, condensez en eux toutes vos gloires,
Donnez-leur vos rochers pour dents et pour mâchoires,
Pour voix votre ouragan, pour regard votre horreur ;
Donnez-leur des aspects de pape et d'empereur,
Et faites, par-dessus les halliers, leur étable
Et leur palais, bondir leur joie épouvantable.
Certes, le casoar est un bon sénateur,
L'oie a l'air d'un évêque et plaît par sa hauteur,
Dieu quand il fit le singe a rêvé Scaramouche,
Le colibri m'enchante et j'aime l'oiseau-mouche ;
Mais ce que de ta verve, ô nature, j'attends
Ce sont les Béhémoths et les Léviathans.
Le nouveau-né qui sort de l'ombre et du mystère
Ne serait pas content de ne rien voir sur terre ;
Un immense besoin d'étonnement, voilà
Toute l'enfance, et c'est en songeant à cela
Que j'applaudis, nature, aux géants que tu formes ;
L'œil bleu des innocents veut des bêtes énormes ;
Travaillez, dieux affreux ! Soyez illimités
Et féconds, nous tenons à vos difformités
Autant qu'à vos parfums, autant qu'à vos dictames,
Ô déserts, attendu que les hippopotames,
Que les rhinocéros et que les éléphants
Sont évidemment faits pour les petits enfants.

VIII

C'est une émotion étrange pour mon âme
De voir l'enfant, encor dans les bras de la femme,
Fleur ignorant l'hiver, ange ignorant Satan,
Secouant un hochet devant Léviathan,
Approcher doucement la nature terrible.
Les beaux séraphins bleus qui passent dans la bible,
Envolés d'on ne sait quel ciel mystérieux,
N'ont pas une plus pure aurore dans les yeux
Et n'ont pas sur le front une plus sainte flamme
Que l'enfant innocent riant au monstre infâme.

Ciel noir ! Quel vaste cri que le rugissement !
Quand la bête, âme aveugle et visage écumant,
Lance au loin, n'importe où, dans l'étendue hostile,
Sa voix lugubre, ainsi qu'un sombre projectile,
C'est tout le gouffre affreux des forces sans clarté
Qui hurle ; c'est l'obscène et sauvage Astarté,
C'est la nature abjecte et maudite qui gronde ;
C'est Némée, et Stymphale, et l'Afrique profonde,
C'est le féroce Atlas, c'est l'Athos plus hanté
Par les foudres qu'un lac par les mouches d'été ;
C'est Lerne, Pélion, Ossa, c'est Érymanthe,
C'est Calydon funeste et noir, qui se lamente.

                              *

L'enfant regarde l'ombre où sont les lions roux.
La bête grince ; à qui s'adresse ce courroux ?
L'enfant jase ; sait-on qui les enfants appellent ?
Les deux voix, la tragique et la douce, se mêlent ;
L'enfant est l'espérance et la bête est la faim ;
Et tous deux sont l'attente ; il gazouille sans fin
Et chante, et l'animal écume sans relâche ;
Ils ont chacun en eux un mystère qui tâche
De dire ce qu'il sait et d'avoir ce qu'il veut ;
Leur langue est prise et cherche à dénouer le nœud.
Se parlent-ils ? Chacun fait son essai ; l'un triste,
L'autre charmant ; l'enfant joyeusement existe ;
Quoique devant lui l'Être effrayant soit debout,
Il a sa mère, il a sa nourrice, il a tout ;
Il rit.

                              *

         De quelle nuit sortent ces deux ébauches ?
L'une sort de l'azur ; l'autre de ces débauches,
De ces accouplements du nain et du géant,
De ce hideux baiser de l'abîme au néant
Qu'un nomme le chaos.

                              Oui, cette cave immonde,
Dont le soupirail blême apparaît sous le monde,
Le chaos, ces chocs noirs, ces danses d'ouragans,
Les éléments gâtés et devenus brigands
Et changés en fléaux dans le cloaque immense,
Le rut universel épousant la démence,
La fécondation de Tout produisant Rien,
Cet engloutissement du vrai, du beau, du bien,
Qu'Orphée appelle Hadès, qu'Homère appelle Érèbe,
Et qui rend fixe l'œil fatal des sphinx de Thèbe,
C'est cela, c'est la folle et mauvaise action
Qu'en faisant le chaos fit la création,
C'est l'attaque de l'ombre au soleil vénérable,
C'est la convulsion du gouffre misérable
Essayant d'opposer l'informe à l'idéal,
C'est Tisiphone offrant son ventre à Bélial,
C'est cet ensemble obscur de forces échappées
Où les éclairs font rage et tirent leurs épées,
Où périrent Janus, l'âge d'or et Rhéa,
Qui, si nous en croyons les mages, procréa
L'animal ; et la bête affreuse fut rugie
Et vomie au milieu des nuits par cette orgie.

C'est de là que nous vient le monstre inquiétant.

L'enfant, lui, pur songeur rassurant et content,
Est l'autre énigme ; il sort de l'obscurité bleue.
Tous les petits oiseaux, mésange, hochequeue,
Fauvette, passereau, bavards aux fraîches voix,
Sont ses frères ; tandis que ces marmots des bois
Sentent pousser leur aile, il sent croître son âme
Des azurs embaumés de myrrhe et de cinname,
Des entre-croisements de fleurs et de rayons,
Ces éblouissements sacrés que nous voyons   [justes,
Dans nos profonds sommeils quand nous sommes des
Un pêle-mêle obscur de branchages augustes
Dont les anges au vol divin sont les oiseaux,
Une lueur pareille au clair reflet des eaux
Quand, le soir, dans l'étang les arbres se renversent,
Des lys vivants, un ciel qui rit, des chants qui bercent,

Voilà ce que l'enfant, rose, a derrière lui.
Il s'éveille ici-bas, vaguement ébloui ;
Il vient de voir l'éden et Dieu ; rien ne l'effraie,
Il ne croit pas au mal ; ni le loup, ni l'orfraie,
Ni le tigre, démon taché, ni ce trompeur,
Le renard, ne le font trembler ; il n'a pas peur,
Il chante ; et quoi de plus touchant pour la pensée
Que cette confiance au paradis, poussée
Jusqu'à venir tout près sourire au sombre enfer !
Quel ange que l'enfant ! Tout, le mal, sombre mer,
Les hydres qu'en leurs flots roulent les vils avernes,
Les griffes, ces forêts, les gueules, ces cavernes,
Les cris, les hurlements, les râles, les abois,
Les rauques visions, la fauve horreur des bois,
Tout, Satan, et sa morne et féroce puissance,
S'évanouit au fond du bleu de l'innocence !
C'est beau. Voir Caliban et rester Ariel !
Avoir dans son humble âme un si merveilleux ciel
Que l'apparition indignée et sauvage
Des êtres de la nuit n'y fasse aucun ravage,
Et se sentir si plein de lumière et si doux
Que leur souffle n'éteigne aucune étoile en vous !

                              *

Et je rêve. Et je crois entendre un dialogue
Entre la tragédie effroyable et l'églogue ;
D'un côté l'épouvante, et de l'autre l'amour ;
Dans l'une ni dans l'autre il ne fait encor jour ;
L'enfant semble vouloir expliquer quelque chose ;
La bête gronde, et, monstre incliné sur la rose,
Écoute... — Et qui pourrait comprendre, ô firmament,
Ce que le bégaiement dit au rugissement ?

Quel que soit le secret, tout se dresse et médite,
La fleur bénie ainsi que l'épine maudite ;
Tout devient attentif ; tout tressaille ; un frisson
Agite l'air, le flot, la branche, le buisson,
Et dans les clairs-obscurs et dans les crépuscules,
Dans cette ombre où jadis combattaient les Hercules,

Où les Bellérophons s'envolaient, où planait
L'immense Amos criant : Un nouveau monde naît !
On sent on ne sait quelle émotion sacrée,
Et c'est, pour la nature où l'éternel Dieu crée,
C'est pour tout le mystère un attendrissement
Comme si l'on voyait l'aube au rayon calmant
S'ébaucher par-dessus d'informes promontoires,
Quand l'âme blanche vient parler aux âmes noires.

IX

La face de la bête est terrible ; on y sent
L'Ignoré, l'éternel problème éblouissant
Et ténébreux, que l'homme appelle la Nature ;
On a devant soi l'ombre informe, l'aventure
Et le joug, l'esclavage et la rébellion,
Quand on voit le visage effrayant du lion ;
Le monstre orageux, rauque, effréné, n'est pas libre,
Ô stupeur ! et quel est cet étrange équilibre
Composé de splendeur et d'horreur, l'univers,
Où règne un Jéhovah dont Satan est l'envers ;
Où les astres, essaim lumineux et livide,
Semblent pris dans un bagne, et fuyant dans le vide,
Et jetés au hasard comme on jette les dés,
Et toujours à la chaîne et toujours évadés ?
Quelle est cette merveille effroyable et divine
Où, dans l'éden qu'on voit, c'est l'enfer qu'on devine,
Où s'éclipse, ô terreur, espoirs évanouis,
L'infini des soleils sous l'infini des nuits,
Où, dans la brute, Dieu disparaît et s'efface ?
Quand ils ont devant eux le monstre face à face,
Les mages, les songeurs vertigineux des bois,
Les prophètes blêmis à qui parlent des voix,
Sentent on ne sait quoi d'énorme dans la bête ;
Pour eux l'amer rictus de cette obscure tête,
C'est l'abîme, inquiet d'être trop regardé,
C'est l'éternel secret qui veut être gardé

Et qui ne laisse pas entrer dans ses mystères
La curiosité des pâles solitaires ;
Et ces hommes, à qui l'ombre fait des aveux,
Sentent qu'ici le sphinx s'irrite, et leurs cheveux
Se dressent, et leur sang dans leurs veines se fige
Devant le froncement de sourcil du prodige.

                              X

Toutes sortes d'enfants, blonds, lumineux, vermeils,
Dont le bleu paradis visite les sommeils
Quand leurs yeux sont fermés la nuit dans les alcôves,
Sont là, groupés devant la cage aux bêtes fauves ;
Ils regardent.

                    Ils ont sous les yeux l'élément,
Le gouffre, le serpent tordu comme un tourment,
L'affreux dragon, l'onagre inepte, la panthère,
Le chacal abhorré des spectres, qu'il déterre,
Le gorille, fantôme et tigre, et ces bandits,
Les loups, et les grands lynx qui tutoyaient jadis
Les prophètes sacrés accoudés sur des bibles ;
Et, pendant que ce tas de prisonniers terribles
Gronde, l'un vil forçat, l'autre arrogant proscrit,
Que fait le groupe rose et charmant ? Il sourit.

L'abîme est là qui gronde et les enfants sourient.

Ils admirent. Les voix épouvantables crient ;
Tandis que cet essaim de fronts pleins de rayons,
Presque ailé, nous émeut comme si nous voyions
L'aube s'épanouir dans une géorgique,
Tandis que ces enfants chantent, un bruit tragique
Va, chargé de colère et de rébellions,
Du cachot des vautours au bagne des lions.

Et le sourire frais des enfants continue.

Devant cette douceur suprême, humble, ingénue,
Obstinée, on s'étonne, et l'esprit stupéfait
Songe, comme aux vieux temps d'Orphée et de Japhet,
Et l'on se sent glisser dans la spirale obscure
Du vertige, où tombaient Job, Thalès, Épicure,
Où l'on cherche à tâtons quelqu'un, ténébreux puits
Où l'âme dit : Réponds ! où Dieu dit : Je ne puis !

Oh ! si la conjecture antique était fondée,
Si le rêve inquiet des mages de Chaldée,
L'hypothèse qu'Hermès et Pythagore font,
Si ce songe farouche était le vrai profond ;
La bête parmi nous, si c'était là Tantale !
Si la réalité redoutable et fatale
C'était ceci : les loups, les boas, les mammons,
Masques sombres, cachant d'invisibles démons !
Oh ! ces êtres affreux dont l'ombre est le repaire,
Ces crânes aplatis de tigre et de vipère,
Ces vils fronts écrasés par le talon divin,
L'ours, rêveur noir, le singe, effroyable sylvain,
Ces rictus convulsifs, ces faces insensées,
Ces stupides instincts menaçant nos pensées,
Ceux-ci pleins de l'horreur nocturne des forêts,
Ceux-là, fuyants aspects, flottants, confus, secrets,
Sur qui la mer répand ses moires et ses nacres,
Ces larves, ces passants des bois, ces simulacres,
Ces vivants dans la tombe animale engloutis,
Ces fantômes ayant pour loi les appétits,
Ciel bleu ! s'il était vrai que c'est là ce qu'on nomme
Les damnés, expiant d'anciens crimes chez l'homme,
Qui, sortis d'une vie antérieure, ayant
Dans les yeux la terreur d'un passé foudroyant,
Viennent, balbutiant d'épouvante et de haine,
Dire au milieu de nous les mots de la géhenne,
Et qui tâchent en vain d'exprimer leur tourment
A notre verbe avec le sourd rugissement ;
Tas de forçats qui grince et gronde, aboie et beugle ;
Muets hurlants qu'éclaire un flamboiement aveugle ;
Oh ! s'ils étaient là, nus sous le destin de fer,

Méditant vaguement sur l'éternel enfer ;
Si ces mornes vaincus de la nature immense
Se croyaient à jamais bannis de la clémence ;
S'ils voyaient les soleils s'éteindre par degrés,
Et s'ils n'étaient plus rien que des désespérés ;
Oh ! dans l'accablement sans fond, quand tout se brise,
Quand tout s'en va, refuse et fuit, quelle surprise,
Pour ces êtres méchants et tremblants à la fois,
D'entendre tout à coup venir ces jeunes voix !
                                        [blème !
Quelqu'un est là ! Qui donc ? On parle ! ô noir pro-
Une blancheur paraît sur la muraille blême
Où chancelle l'obscure et morne vision.
Le léviathan voit accourir l'alcyon !
Quoi ! le déluge voit arriver la colombe !
La clarté des berceaux filtre à travers la tombe
Et pénètre d'un jour clément les condamnés !
Les spectres ne sont point haïs des nouveau-nés !
Quoi ! l'araignée [16] immense ouvre ses sombres toiles !
Quel rayon qu'un regard d'enfant, saintes étoiles !
Mais puisqu'on peut entrer, on peut donc s'en aller !
Tout n'est donc pas fini ! L'azur vient nous parler !
Le ciel est plus céleste en ces douces prunelles !
C'est quand Dieu, pour venir des voûtes éternelles
Jusqu'à la terre, triste et funeste milieu,
Passe à travers l'enfant qu'il est tout à fait Dieu !
Quoi ! le plafond difforme aurait une fenêtre !
On verrait l'impossible espérance renaître !
Quoi ! l'on pourrait ne plus mordre, ne plus grincer !
Nous représentons-nous ce qui peut se passer
Dans les craintifs cerveaux des bêtes formidables ?
De la lumière au bas des gouffres insondables !
Une intervention de visages divins !
La torsion du mal dans les brûlants ravins
De l'enfer misérable est soudain apaisée
Par d'innocents regards purs comme la rosée !
Quoi ! l'on voit des yeux luire et l'on entend des pas !
Est-ce que nous savons s'ils ne se mettent pas,
Ces monstres, à songer, sitôt la nuit venue,
S'appelant, stupéfaits de cette aube inconnue

Qui se lève sur l'âpre et sévère horizon ?
Du pardon vénérable ils ont le saint frisson ;
Il leur semble sentir que les chaînes les quittent ;
Les échevèlements des crinières méditent ;
L'enfer, cette ruine, est moins trouble et moins noir ;
Et l'œil presque attendri de ces captifs croit voir
Dans un pur demi-jour qu'un ciel lointain azure
Grandir l'ombre d'un temple au seuil de la masure.
Quoi ! l'enfer finirait ! l'ombre entendrait raison !
Ô clémence ! ô lueur dans l'énorme prison !
On ne sait quelle attente émeut ces cœurs étranges.

Quelle promesse au fond du sourire des anges [17] !

V

JEANNE ENDORMIE. — II

Elle dort ; ses beaux yeux se rouvriront demain ;
Et mon doigt qu'elle tient dans l'ombre emplit sa
[main ;
Moi, je lis, ayant soin que rien ne la réveille,
Des journaux pieux ; tous m'insultent ; l'un conseille
De mettre à Charenton quiconque lit mes vers ;
L'autre voue au bûcher mes ouvrages pervers ;
L'autre, dont une larme humecte les paupières,
Invite les passants à me jeter des pierres ;
Mes écrits sont un tas lugubre et vénéneux
Où tous les noirs dragons du mal tordent leurs nœuds ;
L'autre croit à l'enfer et m'en déclare apôtre ;
L'un m'appelle Antechrist, l'autre Satan, et l'autre
Craindrait de me trouver le soir au coin d'un bois ;
L'un me tend la ciguë et l'autre me dit : Bois !
J'ai démoli le Louvre et tué les otages ;
Je fais rêver au peuple on ne sait quels partages ;
Paris en flamme envoie à mon front sa rougeur ;
Je suis incendiaire, assassin, égorgeur,
Avare, et j'eusse été moins sombre et moins sinistre
Si l'empereur m'avait voulu faire ministre ;
Je suis l'empoisonneur public, le meurtrier ;
Ainsi viennent en foule autour de moi crier
Toutes ces voix jetant l'affront, sans fin, sans trêve ;
Cependant l'enfant dort, et, comme si son rêve
Me disait : — Sois tranquille, ô père, et sois clément ! —
Je sens sa main presser la mienne doucement.

GRAND AGE ET BAS AGE MÊLÉS [18]

I

Mon âme est faite ainsi que jamais ni l'idée,
Ni l'homme, quels qu'ils soient, ne l'ont intimidée ;
Toujours mon cœur, qui n'a ni bible ni koran,
Dédaigna le sophiste et brava le tyran ;
Je suis sans épouvante étant sans convoitise ;
La peur ne m'éteint pas et l'honneur seul m'attise ;
J'ai l'ankylose altière et lourde du rocher ;
Il est fort malaisé de me faire marcher
Par désir en avant ou par crainte en arrière ;
Je résiste à la force et cède à la prière,
Mais les biens d'ici-bas font sur moi peu d'effet ;
Et je déclare, amis, que je suis satisfait,
Que mon ambition suprême est assouvie,
Que je me reconnais payé dans cette vie,
Et que les dieux cléments ont comblé tous mes vœux,
Tant que sur cette terre, où vraiment je ne veux
Ni socle olympien, ni colonne trajane,
On ne m'ôtera pas le sourire de Jeanne.

II

CHANT SUR LE BERCEAU[19]

Je veille. Ne crains rien. J'attends que tu t'endormes.
Les anges sur ton front viendront poser leurs bouches.
Je ne veux pas sur toi d'un rêve ayant des formes
    Farouches ;

Je veux qu'en te voyant là, ta main dans la mienne,
Le vent change son bruit d'orage en bruit de lyre.
Et que sur ton sommeil la sinistre nuit vienne
    Sourire.

Le poète est penché sur les berceaux qui tremblent ;
Il leur parle, il leur dit tout bas de tendres choses,
Il est leur amoureux, et ses chansons ressemblent
    Aux roses.

Il est plus pur qu'avril embaumant la pelouse
Et que mai dont l'oiseau vient piller la corbeille ;
Sa voix est un frisson d'âme, à rendre jalouse
    L'abeille ;

Il adore ces nids de soie et de dentelles ;
Son cœur a des gaîtés dans la fraîche demeure
Qui font rire aux éclats avec des douceurs telles
    Qu'on pleure ;

Il est le bon semeur des fraîches allégresses ;
Il rit. Mais si les rois et leurs valets sans nombre
Viennent, s'il voit briller des prunelles tigresses
    Dans l'ombre,

S'il voit du Vatican, de Berlin ou de Vienne
Sortir un guet-apens, une horde, une bible,
Il se dresse, il n'en faut pas plus pour qu'il devienne
    Terrible.

S'il voit ce basilic, Rome, ou cette araignée,
Ignace, ou ce vautour, Bismarck, faire leur crime,
Il gronde, il sent monter dans sa strophe indignée
              L'abîme.

C'est dit. Plus de chansons. L'avenir qu'il réclame,
Les peuples et leur droit, les rois et leur bravade,
Sont comme un tourbillon de tempête où cette âme
              S'évade.

Il accourt. Reviens, France, à ta fierté première !
Délivrance ! Et l'on voit cet homme qui se lève
Ayant Dieu dans le cœur et dans l'œil la lumière
              Du glaive.

Et sa pensée, errante alors comme les proues
Dans l'onde et les drapeaux dans les noires mêlées,
Est un immense char d'aurore avec des roues
              Ailées.

III

LA CICATRICE

Une croûte assez laide est sur la cicatrice.
Jeanne l'arrache, et saigne, et c'est là son caprice ;
Elle arrive, montrant son doigt presque en lambeau.
— J'ai, me dit-elle, ôté la peau de mon bobo. —
Je la gronde, elle pleure, et, la voyant en larmes,
Je deviens plat. — Faisons la paix, je rends les armes,
Jeanne, à condition que tu me souriras. —
Alors la douce enfant s'est jetée en mes bras,
Et m'a dit, de son air indulgent et suprême :
— Je ne me ferai plus de mal, puisque je t'aime. —
Et nous voilà contents, en ce tendre abandon,
Elle de ma clémence et moi de son pardon.

IV

UNE TAPE

De la petite main sort une grosse tape.   [frappe !
— Grand-père, grondez-la ! Quoi ! c'est vous qu'elle
Vous semblez avec plus d'amour la regarder !
Grondez donc ! — L'aïeul dit : — Je ne puis plus
                                                    [gronder !
Que voulez-vous ? Je n'ai gardé que le sourire.
Quand on a vu Judas trahir, Néron proscrire,
Satan vaincre, et régner les fourbes ténébreux,
Et quand on a vidé son cœur profond sur eux ;
Quand on a dépensé la sinistre colère ;
Quand, devant les forfaits que l'église tolère,
Que la chaire salue et que le prêtre admet,
On a rugi, debout sur quelque âpre sommet ;
Quand sur l'invasion monstrueuse du parthe,
Quand sur les noirs serments vomis par Bonaparte,
Quand sur l'assassinat des lois et des vertus,
Sur Paris sans Barbès, sur Rome sans Brutus,
Sur le tyran qui flotte et sur l'état qui sombre,
Triste, on a fait planer l'immense strophe sombre ;
Quand on a remué le plafond du cachot ;
Lorsqu'on a fait sortir tout le bruit de là-haut,
Les imprécations, les éclairs, les huées
De la caverne affreuse et sainte des nuées ;
Lorsqu'on a, dans des jours semblables à des nuits,
Roulé toutes les voix du gouffre, les ennuis,
Et les cris, et les pleurs pour la France trahie,
Et l'ombre, et Juvénal, augmenté d'Isaïe,
Et des écroulements d'iambes furieux
Ainsi que des rochers de haine dans les cieux ;
Quand on a châtié jusqu'aux morts dans leurs tombes ;
Lorsqu'on a puni l'aigle à cause des colombes,
Et soffleté Nemrod, César, Napoléon,
Qu'on a questionné même le Panthéon,

Et fait trembler parfois cette haute bâtisse ;
Quand on a fait sur terre et sous terre justice,
Et qu'on a nettoyé de miasmes l'horizon,
Dame ! on rentre un peu las, c'est vrai, dans sa maison ;
On ne se fâche pas des mouches familières ;
Les légers coups de bec qui sortent des volières,
Le doux rire moqueur des nids mélodieux,
Tous ces petits démons et tous ces petits dieux
Qu'on appelle marmots et bambins, vous enchantent ;
Même quand on les sent vous mordre, on croit qu'ils
                                         [chantent.
Le pardon, quel repos ! Soyez Dante et Caton
Pour les puissants, mais non pour les petits. Va-t-on
Faire la grosse voix contre ce frais murmure ?
Va-t-on pour les moineaux endosser son armure ?
Bah ! contre de l'aurore est-ce qu'on se défend ?
Le tonnerre chez lui doit être bon enfant.

                              V

Ma Jeanne, dont je suis doucement insensé,
Étant femme, se sent reine ; tout l'A B C
Des femmes, c'est d'avoir des bras blancs, d'être belles,
De courber d'un regard les fronts les plus rebelles,
De savoir avec rien, des bouquets, des chiffons,
Un sourire, éblouir les cœurs les plus profonds,
D'être, à côté de l'homme ingrat, triste et morose,
Douces plus que l'azur, roses plus que la rose ;
Jeanne le sait ; elle a trois ans, c'est l'âge mûr ;
Rien ne lui manque ; elle est la fleur de mon vieux mur,
Ma contemplation, mon parfum, mon ivresse ;
Ma strophe, qui près d'elle a l'air d'une pauvresse,
L'implore, et reçoit d'elle un rayon ; et l'enfant
Sait déjà se parer d'un chapeau triomphant,
De beaux souliers vermeils, d'une robe étonnante ;
Elle a des mouvements de mouche frissonnante ;
Elle est femme, montrant ses rubans bleus ou verts,

Et sa fraîche toilette, et son âme au travers ;
Elle est de droit céleste et par devoir jolie ;
Et son commencement de règne est ma folie.

VI

Jeanne était au pain sec dans le cabinet noir,
Pour un crime quelconque, et, manquant au devoir,
J'allai voir la proscrite en pleine forfaiture,
Et lui glissai dans l'ombre un pot de confiture
Contraire aux lois. Tous ceux sur qui, dans ma cité,
Repose le salut de la société,
S'indignèrent, et Jeanne a dit d'une voix douce :
— Je ne toucherai plus mon nez avec mon pouce ;
Je ne me ferai plus griffer par le minet.
Mais on s'est recrié : — Cette enfant vous connaît ;
Elle sait à quel point vous êtes faible et lâche.
Elle vous voit toujours rire quand on se fâche.
Pas de gouvernement possible. A chaque instant
L'ordre est troublé par vous ; le pouvoir se détend ;
Plus de règle. L'enfant n'a plus rien qui l'arrête.
Vous démolissez tout. — Et j'ai baissé la tête,
Et j'ai dit : — Je n'ai rien à répondre à cela,
J'ai tort. Oui, c'est avec ces indulgences-là
Qu'on a toujours conduit les peuples à leur perte.
Qu'on me mette au pain sec. — Vous le méritez, certe,
On vous y mettra. — Jeanne alors, dans son coin noir,
M'a dit tout bas, levant ses yeux si beaux à voir,
Pleins de l'autorité des douces créatures :
— Eh bien, moi, je t'irai porter des confitures.

VII

CHANSON
POUR FAIRE DANSER EN ROND
LES PETITS ENFANTS

Grand bal sous le tamarin.
On danse et l'on tambourine.
Tout bas parlent, sans chagrin,
Mathurin à Mathurine,
Mathurine à Mathurin.

C'est le soir, quel joyeux train !
Chantons à pleine poitrine
Au bal plutôt qu'au lutrin.
Mathurin a Mathurine,
Mathurine a Mathurin.

Découpé comme au burin,
L'arbre, au bord de l'eau marine,
Est noir sur le ciel serein.
Mathurin a Mathurine,
Mathurine a Mathurin.

Dans le bois rôde Isengrin.
Le magister endoctrine
Un moineau pillant le grain.
Mathurin a Mathurine,
Mathurine a Mathurin.

Broutant l'herbe brin à brin,
Le lièvre a dans la narine
L'appétit du romarin,
Mathurin a Mathurine,
Mathurine a Mathurin.

Sous l'ormeau le pèlerin
Demande à la pèlerine

Un baiser pour un quatrain.
Mathurin a Mathurine,
Mathurine a Mathurin.

Derrière un pli de terrain,
Nous entendons la clarine
Du cheval d'un voiturin.
Mathurin a Mathurine,
Mathurine a Mathurin.

VIII

LE POT CASSÉ [20]

Ô ciel ! toute la Chine est par terre en morceaux !
Ce vase pâle et doux comme un reflet des eaux,
Couverts d'oiseaux, de fleurs, de fruits, et des men-
                                                    [songes
De ce vague idéal qui sort du bleu des songes,
De ce vase unique, étrange, impossible, engourdi,
Gardant sur lui le clair de lune en plein midi,
Qui paraissait vivant, où luisait une flamme, [une âme,
Qui semblait presque un monstre et semblait presque
Mariette, en faisant la chambre, l'a poussé
Du coude par mégarde, et le voilà brisé !
Beau vase ! Sa rondeur était de rêves pleine,
Des bœufs d'or y broutaient des prés de porcelaine.
Je l'aimais, je l'avais acheté sur les quais,
Et parfois aux marmots pensifs je l'expliquais.
Voici l'Yak ; voici le singe quadrumane ;
Ceci c'est un docteur peut-être, ou bien un âne ;
Il dit la messe, à moins qu'il ne dise hi-han ;
Ça c'est un mandarin qu'on nomme aussi kohan ;
Il faut qu'il soit savant, puisqu'il a ce gros ventre.
Attention, ceci, c'est le tigre en son antre,
Le hibou dans son trou, le roi dans son palais,
Le diable en son enfer ; voyez comme ils sont laids !

Les monstres, c'est charmant, et les enfants le sentent.
Des merveilles qui sont des bêtes les enchantent.
Donc, je tenais beaucoup à ce vase. Il est mort.
J'arrivai furieux, terrible, et tout d'abord :
— Qui donc a fait cela ? criai-je. Sombre entrée !
Jeanne alors, remarquant Mariette effarée,
Et voyant ma colère et voyant son effroi,
M'a regardé d'un air d'ange, et m'a dit : — C'est moi.

IX

Et Jeanne à Mariette a dit : — Je savais bien
Qu'en répondant c'est moi, papa ne dirait rien.
Je n'ai pas peur de lui puisqu'il est mon grand-père.
Vois-tu, papa n'a pas le temps d'être en colère,
Il n'est jamais beaucoup fâché, parce qu'il faut
Qu'il regarde les fleurs, et quand il fait bien chaud
Il nous dit : N'allez pas au grand soleil nu-tête,
Et ne vous laissez pas piquer par une bête,
Courez, ne tirez pas le chien par son collier,
Prenez garde aux faux pas dans le grand escalier,
Et ne vous cognez pas contre les coins des marbres.
Jouez. Et puis après il s'en va dans les arbres.

X

                                    [coup !
Tout pardonner, c'est trop ; tout donner, c'est beau
Eh bien, je donne tout et je pardonne tout
Aux petits ; et votre œil sévère me contemple.
Toute cette clémence est de mauvais exemple.
Faire de l'amnistie [21] en chambre est périlleux.
Absoudre des forfaits commis par des yeux bleus
Et par des doigts vermeils et purs, c'est effroyable.
Si cela devenait contagieux, que diable !

Il faut un peu songer à la société.
La férocité sied à la paternité ;
Le sceptre doit avoir la trique pour compagne ;
L'idéal, c'est un Louvre appuyé sur un bagne ;
Le bien doit être fait par une main de fer.
Quoi ! si vous étiez Dieu, vous n'auriez pas d'enfer ?
Presque pas. Vous croyez que je serais bien aise
De voir mes enfants cuire au fond d'une fournaise [22] ?
Eh bien ! non. Ma foi non ! J'en fais mea-culpa ;
Plutôt que Sabaoth je serais Grand-papa.
Plus de religion alors ? Comme vous dites.
Plus de société ? Retour aux troglodytes,
Aux sauvages, aux gens vêtus de peaux de loups ?
Non, retour au vrai Dieu, distinct du Dieu jaloux,
Retour à la sublime innocence première,
Retour à la raison, retour à la lumière [23] !
Alors, vous êtes fou, grand-père. J'y consens.
Tenez, messieurs les forts et messieurs les puissants,
Défiez-vous de moi, je manque de vengeance.
Qui suis-je ? Le premier venu, plein d'indulgence,
Préférant la jeune aube à l'hiver pluvieux,
Homme ayant fait des lois, mais repentant et vieux,
Qui blâme quelquefois, mais qui jamais ne damne,
Autorité foulée aux petits pieds de Jeanne,
Pas sûr de tout savoir, en doutant même un peu,
Toujours tenté d'offrir aux gens sans feu ni lieu
Un coin du toit, un coin du foyer, moins sévère
Aux péchés qu'on honnit qu'aux forfaits qu'on révère,
Capable d'avouer les êtres sans aveu.
Ah ! ne m'élevez pas au grade de bon Dieu !
Voyez-vous, je ferais toutes sortes de choses
Bizarres ; je rirais ; j'aurais pitié des roses,
Des femmes, des vaincus, des faibles, des tremblants ;
Mes rayons seraient doux comme des cheveux blancs ;
J'aurais un arrosoir assez vaste pour faire
Naître des millions de fleurs dans toute sphère,
Partout, et pour éteindre au loin le triste enfer [24] ;
Lorsque je donnerais un ordre, il serait clair ;
Je cacherais le cerf aux chiens flairant sa piste ;
Qu'un tyran pût jamais se nommer mon copiste,

Je ne le voudrais pas ; je dirais : Joie à tous !
Mes miracles seraient ceci : — Les hommes doux.
Jamais de guerre. — Aucun fléau. — Pas de déluge [25].
— Un croyant dans le prêtre, un juste dans le juge. —
Je serais bien coiffé de brouillard, étant Dieu,
C'est convenable ; mais je me fâcherais peu,
Et je ne mettrais point de travers mon nuage
Pour un petit enfant qui ne serait pas sage ;
Quand j'offrirais le ciel à vous, fils de Japhet,
On verrait que je sais comment le ciel est fait ;
Je n'annoncerais point que les nocturnes toiles
Laisseraient pêle-mêle un jour choir les étoiles,
Parce que j'aurais peur, si je vous disais ça,
De voir Newton pousser le coude à Spinosa ;
Je ferais à Veuillot le tour épouvantable
D'inviter Jésus-Christ et Voltaire à ma table,
Et de faire verser mon meilleur vin, hélas,
Par l'ami de Lazare à l'ami de Calas ;
J'aurais dans mon éden, jardin à large porte,
Un doux water-closet mystérieux, de sorte
Qu'on puisse au paradis mettre le Syllabus ;
Je dirais aux rois : Rois, vous êtes des abus,
Disparaissez. J'irais, clignant de la paupière,   [Pierre,
Rendre aux pauvres leurs soûs sans le dire à Saint-
Et, sournois, je ferais des trous à son panier
Sous l'énorme tas d'or qu'il nomme son denier ;
Je dirais à l'abbé Dupanloup : Moins de zèle !
Vous voulez à la Vierge ajouter la Pucelle [26],
C'est cumuler, monsieur l'évêque ; apaisez-vous.
Un Jéhovah trouvant que le peuple à genoux
Ne vaut pas l'homme droit et debout, tête haute,
Ce serait moi. J'aurais un pardon pour la faute,
Mais je dirais : Tâchez de rester innocents.
Et je demanderais aux prêtres, non l'encens,
Mais la vertu. J'aurais de la raison. En somme,
Si j'étais le bon Dieu, je serais un bon homme.

VII

L'IMMACULÉE CONCEPTION

L'IMMACULÉE CONCEPTION

> *Ô Vierge sainte, conçue sans péché!*
> (Prière chrétienne.)

L'enfant partout. Ceci se passe aux Tuileries. [Maries;
Plusieurs Georges, plusieurs Jeannes, plusieurs
Un qui tette, un qui dort; dans l'arbre un rossignol;
Un grand déjà rêveur qui voudrait voir Guignol;
Une fille essayant ses dents dans une pomme[27];
Toute la matinée adorable de l'homme;
L'aube et polichinelle; on court, on jase, on rit;
On parle à sa poupée, elle a beaucoup d'esprit;
On mange des gâteaux et l'on saute à la corde.
On me demande un sou pour un pauvre; j'accorde
Un franc; merci, grand-père! et l'on retourne au jeu,
Et l'on grimpe, et l'on danse, et l'on chante. Ô ciel
[bleu!
C'est toi le cheval. Bien. Tu traînes la charrette,
Moi je suis le cocher. À gauche; à droite; arrête.
Jouons aux quatre coins. Non; à colin-maillard.
Leur clarté sur son banc réchauffe le vieillard.
Les bouches des petits sont de murmures pleines,

Ils sont vermeils, ils ont plus de fraîches haleines
Que n'en ont les rosiers de mai dans les ravins,
Et l'aurore frissonne en leurs cheveux divins.
Tout cela c'est charmant. — Tout cela c'est horrible
C'est le péché !
              Lisez nos missels, notre bible,
L'abbé Pluche, saint Paul, par Trublet annoté,
Veuillot, tout ce qui fait sur terre autorité.
Une conception seule est immaculée ;
Tous les berceaux sont noirs, hors la crèche étoilée
Ce grand lit de l'abîme, hyménée, est taché.
Où l'homme dit Amour ! le ciel répond Péché !
Tout est souillure, et qui le nie est un athée.
Toute femme est la honte, une seule exceptée.

Ainsi ce tas d'enfants est un tas de forfaits !
Oiseau qui fais ton nid, c'est le mal que tu fais.
Ainsi l'ombre sourit d'une façon maligne
Sur la douce couvée. Ainsi le bon Dieu cligne
Des yeux avec le diable et dit : Prends-moi cela !
Et c'est mon crime, ô ciel, l'innocent que voilà !
Ainsi ce tourbillon de lumière et de joie,
L'enfance, ainsi l'essaim d'âmes que nous envoie
L'amour mystérieux qu'avril épanouit,
Ces constellations d'anges dans notre nuit,
Ainsi la bouche rose, ainsi la tête blonde,
Ainsi cette prunelle aussi claire que l'onde,
Ainsi ces petits pieds courant dans le gazon,
Cette cohue aimable emplissant l'horizon
Et dont le grand soleil qui rit semble être l'hôte,
C'est le fourmillement monstrueux de la faute !
Péché ! Péché ! Le mal est dans les nouveau-nés !
Oh ! quel sinistre affront ! Prêtres infortunés !

Au milieu de la vaste aurore ils sont funèbres ;
Derrière eux vient la chute informe des ténèbres.
Dans les plis de leur dogme ils ont la sombre nuit.
Le couple a tort, le fruit est vil, le germe nuit.
De l'enfant qui la souille une mère est suivie.
Ils sont les justiciers de ce crime, la vie.

Malheur ! pas un hymen, non, pas même le leur,
Pas même leur autel n'est pur. Malheur ! malheur !
Ô femmes, sur vos fronts ils mettent d'affreux doutes.
Le couronnement d'une est l'outrage de toutes.
Démence ! ce sont eux les désobéissants.
On ne sait quel crachat se mêle à leur encens.
Ô la profonde insulte ! ils jettent l'anathème
Sur l'œil qui dit : je vois ! sur le cœur qui dit : j'aime !
Sur l'âme en fête et l'arbre en fleur et l'aube en feu,
Et sur l'immense joie éternelle de Dieu
Criant : Je suis le père ! et sans borne et sans voile
Semant l'enfant sur terre et dans le ciel l'étoile !

LES GRIFFONNAGES DE L'ÉCOLIER

LES GRIFFONNAGES DE L'ÉCOLIER

Charle [28] a fait des dessins sur son livre de classe.
Le thème est fatigant au point, qu'étant très lasse,
La plume de l'enfant n'a pu se reposer
Qu'en faisant ce travail énorme : improviser
Dans un livre, partout, en haut, en bas, des fresques,
Comme on en voit aux murs des alhambras moresques,
Des taches d'encre, ayant des aspects d'animaux,
Qui dévorent la phrase et qui rongent les mots,
Et, le texte mangé, viennent mordre les marges.
Le nez du maître flotte au milieu de ces charges.
Troublant le clair-obscur du vieux latin toscan,
Dans la grande satire où Rome est au carcan,
Sur César, sur Brutus, sur les hautes mémoires,
Charle a tranquillement dispersé ses grimoires.
Ce chevreau, le caprice, a grimpé sur les vers.
Le livre, c'est l'endroit ; l'écolier, c'est l'envers.
Sa gaîté s'est mêlée, espiègle, aux stigmates
Du vengeur qui voulait s'enfuir chez les Sarmates.
Les barbouillages sont étranges, profonds, drus.
Les monstres ! Les voilà perchés, l'un sur Codrus,
L'autre sur Néron. L'autre égratigne un dactyle.
Un pâté fait son nid dans les branches du style.

Un âne, qui ressemble à monsieur Nisard, brait,
Et s'achève en hibou dans l'obscure forêt ;
L'encrier sur lui coule, et, la tête inondée
De cette pluie, il tient dans sa patte un spondée.
Partout la main du rêve a tracé le dessin ;
Et c'est ainsi qu'au gré de l'écolier, l'essaim
Des griffonnages, horde hostile aux belles-lettres,
S'est envolé parmi les sombres hexamètres.
Jeu ! songe ! on ne sait quoi d'enfantin, s'enlaçant
Au poème, lui donne un ineffable accent,
Commente le chef-d'œuvre, et l'on sent l'harmonie
D'une naïveté complétant un génie.
C'est un géant ayant sur l'épaule un marmot.
Charle invente une fleur qu'il fait sortir d'un mot,
Ou lâche un farfadet ailé dans la broussaille
Du rythme effarouché qui s'écarte et tressaille.   [œuf ?
Un rond couvre une page. Est-ce un dôme ? est-ce ur
Une belette en sort qui peut-être est un bœuf.
Le gribouillage règne, et sur chaque vers pose
Les végétations de la métamorphose.
Charle a sur ce latin fait pousser un hallier.
Grâce à lui, ce vieux texte est un lieu singulier
Où le hasard, l'ennui, le lazzi, la rature
Dressent au second plan leur vague architecture.
Son encre a fait la nuit sur le livre étoilé.
Et pourtant, par instants, ce noir réseau brouillé,
À travers ses rameaux, ses porches, ses pilastres,
Laisse passer l'idée et laisse voir les astres.

C'est de cette façon que Charle a travaillé
Au dur chef-d'œuvre antique, et qu'au bronze rouillé
Il a plaqué le lierre, et dérangé la masse
Du masque énorme avec une folle grimace.
Il s'est bien amusé. Quel bonheur d'écolier !
Traiter un fier génie en monstre familier !
Être avec ce lion comme avec un caniche !
Aux pédants, groupe triste et laid, faire une niche !
Rendre agréable aux yeux, réjouissant, malin,
Un livre estampillé par monsieur Delalain !
Gai, bondir à pieds joints par-dessus un poème !

Charle est très satisfait de son œuvre, et lui-même
— L'oiseau voit le miroir et ne voit pas la glu —
Il s'admire.

        Un guetteur survient, homme absolu.
Dans son œil terne luit le pensum insalubre,
Sa lèvre aux coins baissés porte en son pli lugubre
Le rudiment, la loi, le refus des congés,
Et l'auguste fureur des textes outragés.
L'enfance veut des fleurs ; on lui donne la roche.
Hélas ! c'est le censeur du collège. Il approche,
Jette au livre un regard funeste, et dit, hautain :
— Fort bien. Vous copierez mille vers ce matin
Pour manque de respect à vos livres d'étude. —
Et ce geôlier s'en va, laissant là ce Latude.
Or c'est précisément la récréation.
Être à neuf ans Tantale, Encelade, Ixion !
Voir autrui jouer ! Être un banni, qu'on excepte !
Tourner du châtiment la manivelle inepte !
Soupirer sous l'ennui, devant les cieux ouverts,
Et sous cette montagne affreuse, mille vers !
Charles sanglote, et dit : — Ne pas jouer aux barres !
Copier du latin ! Je suis chez les barbares. —
C'est midi ; le moment où sur l'herbe on s'assied,
L'heure sainte où l'on doit sauter à cloche-pied ;
L'air est chaud, les taillis sont verts, et la fauvette
S'y débarbouille, ayant la source pour cuvette ;
La cigale est là-bas qui chante dans le blé.
L'enfant a droit aux champs. Charles songe accablé
Devant le livre, hélas, tout noirci par ses crimes.
Il croit confusément ouïr gronder les rimes
D'un Boileau, qui s'entr'ouvre et bâille à ses côtés ;
Tous ces bouquins lui font l'effet d'être irrités.
Aucun remords pourtant. Il a la tête haute.
Ne sentant pas de honte, il ne voit pas de faute.
— Suis-je donc en prison ? Suis-je donc le vassal
De Noël, lâchement aggravé par Chapsal ?   [l'heure
Qu'est-ce donc que j'ai fait ? — Triste, il voit passer
De la joie. Il est seul. Tout l'abandonne. Il pleure.
Il regarde, éperdu, sa feuille de papier.

Mille vers ! Copier ! Copier ! Copier !
Copier ! Ô pédant, c'est là ce que tu tires
Du bois où l'on entend la flûte des satyres,
Tyran dont le sourcil, sitôt qu'on te répond,
Se fronce comme l'onde aux arches d'un vieux pont !
L'enfance a dès longtemps inventé dans sa rage
La charrue à trois socs pour ce dur labourage.
— Allons ! dit-il, trichons les pions déloyaux !
Et, farouche, il saisit sa plume à trois tuyaux. [homme
Soudain du livre immense une ombre, une âme, un
Sort, et dit : — Ne crains rien, mon enfant. Je me
                                                    [nomme
Juvénal. Je suis bon. Je ne fais peur qu'aux grands. —
Charles lève ses yeux pleins de pleurs transparents,
Et dit : — Je n'ai pas peur. — L'homme, pareil aux
                                                    [marbres,
Reprend, tandis qu'au loin on entend sous les arbres
Jouer les écoliers, gais et de bonne foi :
— Enfant, je fus jadis exilé comme toi,
Pour avoir comme toi barbouillé des figures.
Comme toi les pédants, j'ai fâché les augures.
Élève de Jauffret que jalouse Massin,
Voyons ton livre. — Il dit, et regarde un dessin
Qui n'a pas trop de queue et pas beaucoup de tête.
— Qu'est-ce que c'est que ça ! — Monsieur, c'est une
                                                    [bête.
— Ah ! tu mets dans mes vers des bêtes ! Après tout,
Pourquoi pas ? puisque Dieu, qui dans l'ombre est
                                                    [debout,
En met dans les grands bois et dans les mers sacrées.
Il tourne une autre page, et se penche : — Tu crées.
Qu'est ceci ? Ça m'a l'air fort beau, quoique tortu.
— Monsieur, c'est un bonhomme. — Un bonhomme,
                                                    [dis-tu ?
Eh bien, il en manquait justement un. Mon livre
Est rempli de méchants. Voir un bonhomme vivre
Parmi tous ces gens-là me plaît. Césars bouffis,
Rangez-vous ! ce bonhomme est dieu. Merci, mon
                                                    [fils. —
Et, d'un doigt souverain, le voilà qui feuillette

Nisard, l'âne, le nez du maître, la belette
Qui peut-être est un bœuf, les dragons, les griffons,
Les pâtés d'encre ailés, mêlés aux vers profonds,
Toute cette gaîté sur son courroux éparse,
Et Juvénal s'écrie ébloui : — C'est très farce !

Ainsi, la grande sœur et la petite sœur,
Ces deux âmes, sont là, jasant ; et le censeur,
Obscur comme minuit et froid comme décembre, serait
bien étonné, s'il entrait dans la chambre,
De voir sous le plafond du collège étouffant,
Le vieux poète rire avec le doux enfant.

IX

LES FREDAINES
DU GRAND-PÈRE ENFANT
(1811)[29]

PEPITA

Comme elle avait la résille,
D'abord la rime hésita.
Ce devait être Inésille... —
Mais non, c'était Pepita.

Seize ans. Belle et grande fille... —
(Ici la rime insista :
Rimeur, c'était Inésille.
Rime, c'était Pepita.)

Pepita... — Je me rappelle !
Oh ! le doux passé vainqueur,
Tout le passé, pêle-mêle
Revient à flots dans mon cœur ;

Mer, ton flux roule et rapporte
Les varechs et les galets.
Mon père avait une escorte ;
Nous habitions un palais ;

Dans cette Espagne que j'aime,
Au point du jour, au printemps,

Quand je n'existais pas même,
Pepita — j'avais huit ans —

Me disait : — Fils, je me nomme
Pepa ; mon père est marquis. —
Moi, je me croyais un homme,
Étant en pays conquis.

Dans sa résille de soie
Pepa mettait des doublons ;
De la flamme et de la joie
Sortaient de ses cheveux blonds.

Tout cela, jupe de moire,
Veste de toréador,
Velours bleu, dentelle noire,
Dansait dans un rayon d'or.

Et c'était presque une femme
Que Pepita mes amours.
L'indolente avait mon âme
Sous son coude de velours.

Je palpitais dans sa chambre
Comme un nid près du faucon,
Elle avait un collier d'ambre,
Un rosier sur son balcon.

Tous les jours un vieux qui pleure
Venait demander un sou ;
Un dragon à la même heure
Arrivait je ne sais d'où.

Il piaffait sous la croisée,
Tandis que le vieux râlait
De sa vieille voix brisée :
La charité, s'il vous plaît !

Et la belle au collier jaune,
Se penchant sur son rosier,

Faisait au pauvre l'aumône
Pour la faire à l'officier.

L'un plus fier, l'autre moins sombre,
Ils partaient, le vieux hagard
Emportant un sou dans l'ombre,
Et le dragon un regard.

J'étais près de la fenêtre,
Tremblant, trop petit pour voir,
Amoureux sans m'y connaître,
Et bête sans le savoir.

Elle disait avec charme :
Marions-nous ! choisissant
Pour amoureux le gendarme
Et pour mari l'innocent.

Je disais quelque sottise ;
Pepa répondait : Plus bas !
M'éteignant comme on attise ;
Et, pendant ces doux ébats,

Les soldats buvaient des pintes
Et jouaient au domino
Dans les grandes chambres peintes
Du palais Masserano.

X

ENFANTS, OISEAUX ET FLEURS[30]

I

J'aime un groupe d'enfants qui rit et qui s'assemble ;
J'ai remarqué qu'ils sont presque tous blonds, il semble
Qu'un doux soleil levant leur dore les cheveux.
Lorsque Roland, rempli de projets et de vœux,
Était petit, après l'escrime et les parades,
Il jouait dans les champs avec ses camarades
Raymond le paresseux et Jean de Pau ; tous trois
Joyeux ; un moine un jour, passant avec sa croix,
Leur demanda, c'était l'abbé de la contrée :
— Quelle est la chose, enfants, qui vous plaît
                                    [déchirée ?
— La chair d'un bœuf saignant, répondit Jean de Pau.
— Un livre, dit Raymond. — Roland dit : Un dra-
                                    [peau[31]

II

Je suis[32] des bois l'hôte fidèle,
Le jardinier des sauvageons.

Quand l'automne vient, l'hirondelle
Me dit tout bas : Déménageons.

Après frimaire, après nivôse,
Je vais voir si les bourgeons frais
N'ont pas besoin de quelque chose
Et si rien ne manque aux forêts.

Je dis aux ronces : Croissez, vierges !
Je dis : Embaume ! au serpolet ;
Je dis aux fleurs bordant les berges :
Faites avec soin votre ourlet.

Je surveille, entr'ouvrant la porte,
Le vent soufflant sur la hauteur ;
Car tromper sur ce qu'il apporte
C'est l'usage de ce menteur.

Je viens dès l'aube, en diligence,
Voir si rien ne fait dévier
Toutes les mesures d'urgence
Que prend avril contre janvier.

Tout finit, mais tout recommence,
Je m'intéresse au procédé
De rajeunissement immense,
Vainement par l'ombre éludé.

J'aime la broussaille mouvante,
Le lierre, le lichen vermeil,
Toutes les coiffures qu'invente
Pour les ruines le soleil.

Quand mai fleuri met des panaches
Aux sombres donjons mécontents,
Je crie à ces vieilles ganaches :
Laissez donc faire le printemps !

III

DANS LE JARDIN [33]

Jeanne et Georges sont là. Le noir ciel orageux
Devient rose, et répand l'aurore sur leurs jeux ;
Ô beaux jours ! Le printemps auprès de moi s'em-
                                                    [presse ;
Tout verdit ; la forêt est une enchanteresse ;
L'horizon change, ainsi qu'un décor d'opéra ;
Appelez ce doux mois du nom qu'il vous plaira,
C'est mai, c'est floréal ; c'est l'hyménée auguste
De la chose tremblante et de la chose juste,
Du nid et de l'azur, du brin d'herbe et du ciel ;
C'est l'heure où tout se sent vaguement éternel ;
C'est l'éblouissement, c'est l'espoir, c'est l'ivresse ;
La plante est une femme, et mon vers la caresse ;
C'est, grâce aux frais glaïeuls, grâce aux purs liserons,
La vengeance que nous poètes nous tirons
De cet affreux janvier, si laid ; c'est la revanche
Qu'avril contre l'hiver prend avec la pervenche ;
Courage, avril ! Courage, ô mois de mai ! Ciel bleu,
Réchauffe, resplendis, sois beau ! Bravo, bon Dieu !
Ah ! jamais la saison ne nous fait banqueroute.
L'aube passe en semant des roses sur sa route.
Flamme ! ombre ! tout est plein de ténèbres et d'yeux ;
Tout est mystérieux et tout est radieux ;
Qu'est-ce que l'alcyon cherche dans les tempêtes ?
L'amour ; l'antre et le nid ayant les mêmes fêtes,
Je ne vois pas pourquoi l'homme serait honteux
De ce que les lions pensifs ont devant eux,
De l'amour, de l'hymen sacré, de toi, nature !
Tout cachot aboutit à la même ouverture,
La vie ; et toute chaîne, à travers nos douleurs,
Commence par l'airain et finit par les fleurs.
C'est pourquoi nous avons d'abord la haine infâme,
La guerre, les tourments, les fléaux, puis la femme,

La nuit n'ayant pour but que d'amener le jour.
Dieu n'a fait l'univers que pour faire l'amour.
Toujours, comme un poète aime, comme les sages
N'ont pas deux vérités et n'ont pas deux visages,
J'ai laissé la beauté, fier et suprême attrait,
Vaincre, et faire de moi tout ce qu'elle voudrait ;
Je n'ai pas plus caché devant la femme nue
Mes transports, que devant l'étoile sous la nue
Et devant la blancheur du cygne sur les eaux.
Car dans l'azur sans fond les plus profonds oiseaux
Chantent le même chant, et ce chant, c'est la vie.
Sois puissant, je te plains ; sois aimé, je t'envie.

IV

LE TROUBLE-FÊTE

Les belles filles sont en fuite
Et ne savent où se cacher.
Brune et blonde, grande et petite,
Elles dansaient près du clocher ;

Une chantait, pour la cadence ;
Les garçons aux fraîches couleurs
Accouraient au bruit de la danse,
Mettant à leurs chapeaux des fleurs ;

En revenant de la fontaine,
Elles dansaient près du clocher.
J'aime Toinon, disait le chêne ;
Moi, Suzon, disait le rocher.

Mais l'homme noir du clocher sombre
Leur a crié : — Laides ! fuyez ! —
Et son souffle brusque a dans l'ombre
Éparpillé ces petits pieds.

Toute la danse s'est enfuie,
Les yeux noirs avec les yeux bleus,
Comme s'envole sous la pluie
Une troupe d'oiseaux frileux.

Et cette déroute a fait taire
Les grands arbres tout soucieux,
Car les filles dansant sur terre
Font chanter les nids dans les cieux.

— Qu'a donc l'homme noir ? disent-elles. —
Plus de chants ; car le noir témoin
A fait bien loin enfuir les belles,
Et les chansons encor plus loin.

Qu'a donc l'homme noir ? — Je l'ignore,
Répond le moineau, gai bandit ;
Elles pleurent comme l'aurore.
Mais un myosotis leur dit :

— Je vais vous expliquer ces choses.
Vous n'avez point pour lui d'appas ;
Les papillons aiment les roses,
Les hiboux ne les aiment pas.

V

ORA, AMA[34]

Le long des berges court la perdrix au pied leste.

Comme pour l'entraîner dans leur danse céleste,
Les nuages ont pris la lune au milieu d'eux.
Petit Georges, veux-tu ? nous allons tous les deux
Nous en aller jouer là-bas sous le vieux saule.

La nuit tombe ; on se baigne ; et, la faulx sur l'épaule,
Le faucheur rentre au gîte, essuyant sa sueur.
Le crépuscule jette une vague lueur
Sur des formes qu'on voit rire dans la rivière.

Monsieur le curé passe et ferme son bréviaire ;
Il est trop tard pour lire, et ce reste de jour
Conseille la prière à qui n'a plus l'amour.
Aimer, prier, c'est l'aube et c'est le soir de l'âme.

Et c'est la même chose au fond ; aimer la femme,
C'est prier Dieu ; pour elle on s'agenouille aussi.
Un jour tu seras homme et tu liras ceci.
En attendant, tes yeux sont grands, et je te parle,

Mon Georges, comme si je parlais à mon Charle.
Quand l'aile rose meurt, l'aile bleue a son tour.
La prière a la même audace que l'amour,
Et l'amour a le même effroi que la prière.

Il fait presque grand jour encor dans la clairière.
L'angélus sonne au fond de l'horizon bruni.
Ô ciel sublime ! sombre édifice infini !
Muraille inexprimable, obscure et rayonnante !

Oh ! comment pénétrer dans la maison tonnante ?
Le jeune homme est pensif, le vieillard est troublé,
Et devant l'inconnu, vaguement étoilé,
Le soir tremblant ressemble à l'aube frissonnante.

La prière est la porte et l'amour est la clé.

VI

LA MISE EN LIBERTÉ[35]

Après ce rude hiver, un seul oiseau restait
Dans la cage où jadis tout un monde chantait.

Le vide s'était fait dans la grande volière.
Une douce mésange, autrefois familière,
Était là seule avec ses souvenirs d'oiseau.
N'être jamais sans grain, sans biscuit et sans eau,
Voir entrer quelquefois dans sa cage une mouche,
C'était tout son bonheur. Elle en était farouche.
Rien, pas même un serin, et pas même un pierrot.
La cage, c'est beaucoup ; mais le désert, c'est trop.
Triste oiseau ! dormir seul, et, quand l'aube s'allume,
Être seul à fouiller de son bec sous sa plume !
Le pauvre petit être était redevenu
Sauvage, à faire ainsi tourner ce perchoir nu.
Il semblait par moments s'être donné la tâche
De grimper d'un bâton à l'autre sans relâche ;
Son vol paraissait fou ; puis soudain le reclus
Se taisait, et, caché, morne, ne bougeait plus.
À voir son gonflement lugubre, sa prunelle,
Et sa tête ployée en plein jour sous son aile,
On devinait son deuil, son veuvage, et l'ennui
Du joyeux chant de tous dans l'ombre évanoui.
Ce matin j'ai poussé la porte de la cage.
J'y suis entré,

        Deux mâts, une grotte, un bocage,
Meublent cette prison où frissonne un jet d'eau ;
Et l'hiver on la couvre avec un grand rideau.

Le pauvre oiseau, voyant entrer ce géant sombre,
A pris la fuite en haut, puis en bas, cherchant l'ombre,
Dans une anxiété d'inexprimable horreur ;
L'effroi du faible est plein d'impuissante fureur ;
Il voletait devant ma main épouvantable.
Je suis, pour le saisir, monté sur une table.
Alors, terrifié, vaincu, jetant des cris,
Il est allé tomber dans un coin ; je l'ai pris.
Contre le monstre immense, hélas, que peut l'atome ?
À quoi bon résister quand l'énorme fantôme
Vous tient, captif hagard, fragile et désarmé ?
Il était dans mes doigts inerte, l'œil fermé,
Le bec ouvert, laissant pendre son cou débile,

L'aile morte, muet, sans regard, immobile,
Et je sentais bondir son petit cœur tremblant.

Avril est de l'aurore un frère ressemblant ;
Il est éblouissant ainsi qu'elle est vermeille.
Il a l'air de quelqu'un qui rit et qui s'éveille.
Or, nous sommes au mois d'avril, et mon gazon,
Mon jardin, les jardins d'à côté, l'horizon,
Tout, du ciel à la terre, est plein de cette joie
Qui dans la fleur embaume et dans l'astre flamboie ;
Les ajoncs sont en fête, et dorent les ravins
Où les abeilles font des murmures divins ;
Penché sur les cressons, le myosotis goûte
À la source, tombant dans les fleurs goutte à goutte ;
Le brin d'herbe est heureux ; l'âcre hiver se dissout ;
La nature paraît contente d'avoir tout,
Parfums, chansons, rayons, et d'être hospitalière.
L'espace aime.

                    Je suis sorti de la volière,
Tenant toujours l'oiseau ; je me suis approché
Du vieux balcon de bois par le lierre caché ;
Ô renouveau ! Soleil ! tout palpite, tout vibre,
Tout rayonne ; et j'ai dit, ouvrant la main : Sois libre !

L'oiseau s'est évadé dans les rameaux flottants,
Et dans l'immensité splendide du printemps ;
Et j'ai vu s'en aller au loin la petite âme
Dans cette clarté rose où se mêle une flamme,
Dans l'air profond, parmi les arbres infinis,
Volant au vague appel des amours et des nids,
Planant éperdument vers d'autres ailes blanches,
Ne sachant quel palais choisir, courant aux branches,
Aux fleurs, aux flots, aux bois fraîchement reverdis,
Avec l'effarement d'entrer au paradis.

Alors, dans la lumière et dans la transparence,
Regardant cette fuite et cette délivrance,
Et ce pauvre être, ainsi disparu dans le port,
Pensif, je me suis dit : Je viens d'être la mort.

XI

JEANNE LAPIDÉE [36]

BRUXELLES. — NUIT DU 27 MAI

Je regardai.

          Je vis, tout près de la croisée,
Celui par qui la pierre avait été lancée ;
Il était jeune ; encor presque un enfant, déjà
Un meurtrier.

          Jeune homme, un dieu te protégea,
Car tu pouvais tuer cette pauvre petite !
Comme les sentiments humains s'écroulent vite
Dans les cœurs gouvernés par le prêtre qui ment,
Et comme un imbécile est féroce aisément !
Loyola sait changer Jocrisse en Schinderhanne,
Car un tigre est toujours possible dans un âne.
Mais Dieu n'a pas permis, sombre enfant, que ta main
Fît cet assassinat catholique et romain ;
Le coup a manqué. Va, triste spectre éphémère,
Deviens de l'ombre. Fuis ! Moi, je songe à ta mère.

Ô femme, ne sois pas maudite ! Je reçois
Du ciel juste un rayon clément. Qui que tu sois,
Mère, hélas ! quel que soit ton enfant, sois bénie !

N'en sois pas responsable et n'en sois pas punie !
Je lui pardonne au nom de mon ange innocent !
Lui-même il fut jadis l'être humble en qui descend
L'immense paradis, sans pleurs, sans deuils, sans
                                                [voiles,
Avec tout son sourire et toutes ses étoiles.
Quand il naquit, de joie et d'amour tu vibras.
Il dormait sur ton sein comme Jeanne en mes bras ;
Il était de ton toit le mystérieux hôte ;
C'était un ange alors, et ce n'est pas ta faute,
Ni la sienne, s'il est un bandit maintenant.
Le prêtre, infortuné lui-même, et frissonnant,
À qui nous confions la croissance future,
Imposteur, a rempli cette âme d'imposture ;
L'aveugle a dans ce cœur vidé l'aveuglement.
À ce lugubre élève, à ce maître inclément
Je pardonne ; le mal a des pièges sans nombre ;
Je les plains ; et j'implore au-dessus de nous l'ombre.
Pauvre mère, ton fils ne sait pas ce qu'il fait.
Quand Dieu germait en lui, le prêtre l'étouffait.
Aujourd'hui le voilà dans cette Forêt-noire,
Le dogme ! Ignace ordonne ; il est prêt à tout boire,
Le faux, le vrai, le bien, le mal, l'erreur, le sang !
Tout ! Frappe ! il obéit. Assassine ! il consent.
Hélas ! comment veut-on que je lui sois sévère ?
Le sommet qui fait grâce au gouffre est le Calvaire.
Mornes bourreaux, à nous martyrs vous vous fiez ;
Et nous, les lapidés et les crucifiés,
Nous absolvons le vil caillou, le clou stupide ;
Nous pardonnons. C'est juste. Ah ! ton fils me lapide,
Mère, et je te bénis. Et je fais mon devoir.
Un jour tu mourras, femme, et puisses-tu le voir
Se frapper la poitrine, à genoux sur ta fosse !
Puisse-t-il voir s'éteindre en lui la clarté fausse,
Et sentir dans son cœur s'allumer le vrai feu,
Et croire moins au prêtre et croire plus à Dieu !

XII

JEANNE ENDORMIE. — III

Jeanne dort ; elle laisse, ô pauvre ange banni,
Sa douce petite âme aller dans l'infini ;
Ainsi le passereau fuit dans la cerisaie ;
Elle regarde ailleurs que sur terre, elle essaie,
Hélas, avant de boire à nos coupes de fiel,
De renouer un peu dans l'ombre avec le ciel.
Apaisement sacré ! ses cheveux, son haleine,
Son teint, plus transparent qu'une aile de phalène,
Ses gestes indistincts, son calme, c'est exquis.
Le vieux grand-père, esclave heureux, pays conquis,
La contemple.

   Cet être est ici-bas le moindre
Et le plus grand ; on voit sur cette bouche poindre
Un rire vague et pur qui vient on ne sait d'où ;
Comme elle est belle ! Elle a des plis de graisse au cou ;
On la respire ainsi qu'un parfum d'asphodèle ;
Une poupée aux yeux étonnés est près d'elle,
Et l'enfant par moments la presse sur son cœur.
Figurez-vous cet ange obscur, tremblant, vainqueur,
L'espérance étoilée autour de ce visage,
Ce pied nu, ce sommeil d'une grâce en bas âge.
Oh ! quel profond sourire, et compris de lui seul,
Elle rapportera de l'ombre à son aïeul !
Car l'âme de l'enfant, pas encor dédorée,
Semble être une lueur du lointain empyrée,

Et l'attendrissement des vieillards, c'est de voir
Que le matin veut bien se mêler à leur soir.

Ne la réveillez pas. Cela dort, une rose.
Jeanne au fond du sommeil médite et se compose
Je ne sais quoi de plus céleste que le ciel.
De lys en lys, de rêve en rêve, on fait son miel,
Et l'âme de l'enfant travaille, humble et vermeille,
Dans les songes ainsi que dans les fleurs l'abeille.

XIII

L'ÉPOPÉE DU LION

L'ÉPOPÉE DU LION

I

LE PALADIN

Un lion avait pris un enfant dans sa gueule,
Et, sans lui faire mal, dans la forêt, aïeule
Des sources et des nids, il l'avait emporté.
Il l'avait, comme on cueille une fleur en été,
Saisi sans trop savoir pourquoi, n'ayant pas même
Mordu dedans, mépris fier ou pardon suprême ;
Les lions sont ainsi, sombres et généreux.
Le pauvre petit prince était fort malheureux ;
Dans l'antre, qu'emplissait la grande voix bourrue,
Blotti, tremblant, nourri d'herbe et de viande crue,
Il vivait, presque mort et d'horreur hébété.
C'était un frais garçon, fils du roi d'à côté ;
Tout jeune, ayant dix ans, âge tendre où l'œil brille ;
Et le roi n'avait plus qu'une petite fille
Nouvelle-née, ayant deux ans à peine ; aussi
Le roi qui vieillissait n'avait-il qu'un souci,
Son héritier en proie au monstre ; et la province

Qui craignait le lion plus encor que le prince
Était fort effarée.

                    Un héros qui passait
Dans le pays fit halte, et dit : Qu'est-ce que c'est ?
On lui dit l'aventure ; il s'en alla vers l'antre.

                         *

Un creux où le soleil lui-même est pâle, et n'entre
Qu'avec précaution, c'était l'antre où vivait
L'énorme bête, ayant le rocher pour chevet.

Le bois avait, dans l'ombre et sur un marécage,
Plus de rameaux que n'a de barreaux une cage ;
Cette forêt était digne de ce consul [37] ;
Un menhir s'y dressait en l'honneur d'Irmensul ;
La forêt ressemblait aux halliers de Bretagne ;
Elle avait pour limite une rude montagne,
Un de ces durs sommets où l'horizon finit ;
Et la caverne était taillée en plein granit,
Avec un entourage orageux de grands chênes ;
Les antres, aux cités rendant haines pour haines,
Contiennent on ne sait quel sombre talion.
Les chênes murmuraient : Respectez le lion !

                         *

Le héros pénétra dans ce palais sauvage ;
L'antre avait ce grand air de meurtre et de ravage
Qui sied à la maison des puissants, de l'effroi,
De l'ombre, et l'on sentait qu'on était chez un roi ;
Des ossements à terre indiquaient que le maître
Ne se laissait manquer de rien ; une fenêtre
Faite par quelque coup de tonnerre au plafond
L'éclairait ; une brume où la lueur se fond,
Qui semble aurore à l'aigle et nuit à la chouette,
C'est toute la clarté qu'un conquérant souhaite ;
Du reste c'était haut et fier ; on comprenait
Que l'être altier couchait sur un lit de genêt

Et n'avait pas besoin de rideaux de guipure,
Et qu'il buvait du sang, mais aussi de l'eau pure,
Simplement, sans valet, sans coupe et sans hanap.
Le chevalier était armé de pied en cap.
Il entra.

*

      Tout de suite il vit dans la tanière
Un des plus grands seigneurs couronnés de crinière
Qu'on pût voir, et c'était la bête ; elle pensait ;
Et son regard était profond, car nul ne sait
Si les monstres des bois n'en sont pas les pontifes ;
Et ce lion était un maître aux larges griffes,
Sinistre, point facile à décontenancer.
Le héros approcha, mais sans trop avancer.
Son pas était sonore, et sa plume était rouge.
Il ne fit remuer rien dans l'auguste bouge.
La bête était plongée en ses réflexions.
Thésée entrant au gouffre où sont les Ixions
Et les Sisyphes nus et les flots de l'Averne,
Vit à peu près la même implacable caverne.
Le paladin, à qui le devoir disait : va !
Tira l'épée. Alors le lion souleva
Sa tête doucement d'une façon terrible.

Et le chevalier dit : — Salut, ô bête terrible !
Tu caches dans les trous de ton antre un enfant ;
J'ai beau fouiller des yeux ton repaire étouffant,
Je ne l'aperçois pas. Or, je viens le reprendre.
Nous serons bons amis si tu veux me le rendre ;
Sinon, je suis lion aussi, moi, tu mourras ;
Et le père étreindra son enfant dans ses bras,
Pendant qu'ici ton sang fumera, tiède encore ;
Et c'est ce que verra demain la blonde aurore.

Et le lion pensif lui dit : — Je ne crois pas.

*

Sur quoi le chevalier farouche fit un pas,
Brandit sa grande épée, et dit : Prends garde, sire !
On vit le lion, chose effrayante, sourire.
Ne faites pas sourire un lion. Le duel
S'engagea, comme il sied entre géants, cruel,
Tel que ceux qui de l'Inde ensanglantent les jungles
L'homme allongea son glaive et la bête ses ongles ;
On se prit corps à corps, et le monstre écumant
Se mit à manier l'homme effroyablement ;
L'un était le vaillant et l'autre le vorace ;
Le lion étreignit la chair sous la cuirasse,
Et, fauve, et sous sa griffe ardente pétrissant
Ce fer et cet acier, il fit jaillir le sang
Du sombre écrasement de toute cette armure,
Comme un enfant rougit ses doigts dans une mûre ;
Et puis l'un après l'autre il ôta les morceaux
Du casque et des brassards, et mit à nu les os.
Et le grand chevalier n'était plus qu'une espèce
De boue et de limon sous la cuirasse épaisse ;
Et le lion mangea le héros. Puis il mit
Sa tête sur le roc sinistre et s'endormit.

II

L'ERMITE

Alors vint un ermite.

                    Il s'avança vers l'antre ; [ventre
Grave et tremblant, sa croix au poing, sa corde a
Il entra. Le héros tout rongé gisait là
Informe, et le lion, se réveillant, bâilla.
Le monstre ouvrit les yeux, entendit une haleine,
Et, voyant une corde autour d'un froc de laine,
Un grand capuchon noir, un homme là dedans,
Acheva de bâiller, montrant toutes ses dents ;
Puis, auguste, et parlant comme une porte grince,

Il dit : — Que veux-tu, toi ? — Mon roi. — Quel roi ?
                               [— Mon prince.
— Qui ? — L'enfant. — C'est cela que tu nommes un
                                  [roi !
L'ermite salua le lion. — Roi, pourquoi
As-tu pris cet enfant ? — Parce que je m'ennuie.
Il me tient compagnie ici les jours de pluie.   [enfin ?
— Rends-le-moi. — Non. Je l'ai. — Qu'en veux-tu faire
Le veux-tu donc manger ? — Dame ! si j'avais faim !
— Songe au père, à son deuil, à sa douleur amère.
— Les hommes m'ont tué la lionne, ma mère.
— Le père est roi, seigneur, comme toi. — Pas autant.
S'il parle, c'est un homme, et moi, quand on m'entend,
C'est le lion. — S'il perd ce fils... — Il a sa fille.
— Une fille, c'est peu pour un roi. — Ma famille
À moi, c'est l'âpre roche et la fauve forêt,
Et l'éclair qui parfois sur ma tête apparaît ;
Je m'en contente. — Sois clément pour une altesse.
— La clémence n'est pas ; tout est de la tristesse.
— Veux-tu le paradis ? Je t'offre le blanc-seing
Du bon Dieu. — Va-t'en, vieil imbécile de saint !

L'ermite s'en alla.

III

LA CHASSE ET LA NUIT

Le lion solitaire,
Plein de l'immense oubli qu'ont les monstres sur terre,
Se rendormit, laissant l'intègre nuit venir.
La lune parut, fit un spectre du menhir,
De l'étang un linceul, du sentier un mensonge,
Et du noir paysage inexprimable un songe ;
Et rien ne bougea plus dans la grotte, et, pendant
Que les astres sacrés marchaient vers l'occident
Et que l'herbe abritait la taupe et la cigale,

La respiration du grand lion, égale
Et calme, rassurait les bêtes dans les bois.

Tout à coup des clameurs, des cors et des abois.
Un de ces bruits de meute et d'hommes et de cuivres,
Qui font que brusquement les forêts semblent ivres,
Et que la nymphe écoute en tremblant dans son lit,
La rumeur d'une chasse épouvantable emplit
Toute cette ombre, lac, montagne, bois, prairie,
Et troubla cette vaste et fauve rêverie.
Le hallier s'empourpra de tous les sombres jeux
D'une lueur mêlée à des cris orageux.
On entendait hurler les chiens chercheurs de proies ;
Et des ombres couraient parmi les claires-voies.
Cette altière rumeur d'avance triomphait.
On eût dit une armée ; et c'était en effet
Des soldats envoyés par le roi, par le père,
Pour délivrer le prince et forcer le repaire,
Et rapporter la peau sanglante du lion.
De quel côté de l'ombre est la rébellion,
Du côté de la bête ou du côté de l'homme ?
Dieu seul le sait ; tout est le chiffre, il est la somme.

Les soldats avaient fait un repas copieux,
Étaient en bon état, armés d'arcs et d'épieux,
En grand nombre, et conduits par un fier capitaine.
Quelques-uns revenaient d'une guerre lointaine,
Et tous étaient des gens éprouvés et vaillants.
Le lion entendait tous ces bruits malveillants,
Car il avait ouvert sa tragique paupière ;
Mais sa tête restait paisible sur la pierre,
Et seulement sa queue énorme remuait.

*

Au dehors, tout autour du grand antre muet,
Hurlait le brouhaha de la foule indignée ;
Comme un essaim bourdonne autour d'une araignée
Comme une ruche autour d'un ours pris au lacet,
Toute la légion des chasseurs frémissait ;

Elle s'était rangée en ordre de bataille.
On savait que le monstre était de haute taille,
Qu'il mangeait un héros comme un singe une noix,
Qu'il était plus hautain qu'un tigre n'est sournois,
Que son regard faisait baisser les yeux à l'aigle ;
Aussi lui faisait-on l'honneur d'un siège en règle.
La troupe à coups de hache abattait les fourrés ;
Les soldats avançaient l'un sur l'autre serrés,
Et les arbres tendaient sur la corde les flèches.
On fit silence, afin que sur les feuilles sèches
On entendît les pas du lion, s'il venait.
Et les chiens, qui selon le moment où l'on est
Savent se taire, allaient devant eux, gueule ouverte,
Mais sans bruit. Les flambeaux dans la bruyère verte
Rôdaient, et leur lumière allongée en avant
Éclairait ce chaos d'arbres tremblant au vent ;
C'est ainsi qu'une chasse habile se gouverne.
On voyait à travers les branches la caverne,
Sorte de masse informe au fond du bois épais,
Béante, mais muette, ayant un air de paix
Et de rêve, et semblant ignorer cette armée.
D'un âtre où le feu couve il sort de la fumée,
D'une ville assiégée on entend le beffroi ;
Ici rien de pareil ; avec un vague effroi,
Tous observaient, le poing sur l'arc ou sur la pique,
Cette tranquillité sombre de l'antre épique ;
Les dogues chuchotaient entre eux je ne sais quoi ;
De l'horreur qui dans l'ombre obscure se tient coi,
C'est plus inquiétant qu'un fracas de tempête.
Cependant on était venu pour cette bête,
On avançait, les yeux fixés sur la forêt,
Et non sans redouter ce que l'on désirait ;
Les éclaireurs guettaient, élevant leur lanterne ;
On regardait le seuil béant de la caverne ;
Les arbres frissonnaient, silencieux témoins ;
On marchait en bon ordre, on était mille au moins...
Tout à coup apparut la face formidable.

*

On vit le lion.

                    Tout devint inabordable
Sur-le-champ, et les bois parurent agrandis ;
Ce fut un tremblement parmi les plus hardis ;
Mais, fût-ce en frémissant, de vaillants archers tiren
Et sur le grand lion les flèches s'abattirent,
Un tourbillon de dards le cribla. Le lion,
Pas plus que sous l'orage Ossa ni Pélion
Ne s'émeuvent, fronça son poil, et grave, austère,
Secoua la plupart des flèches sur la terre ;
D'autres, sur qui ces dards se seraient enfoncés,
Auraient certes trouvé qu'il en restait assez,
Ou se seraient enfuis ; le sang rayait sa croupe ;
Mais il n'y prit point garde, et regarda la troupe ;
Et ces hommes, troublés d'être en un pareil lieu,
Doutaient s'il était monstre ou bien s'il était dieu.
Les chiens muets cherchaient l'abri des fers de lance
Alors le fier lion poussa, dans ce silence,
A travers les grands bois et les marais dormants,
Un de ces monstrueux et noirs rugissements
Qui sont plus effrayants que tout ce qu'on vénère,
Et qui font qu'à demi réveillé, le tonnerre
Dit dans le ciel profond : Qui donc tonne là-bas ?

Tout fut fini. La fuite emporte les combats
Comme le vent la brume, et toute cette armée,
Dissoute, aux quatre coins de l'horizon semée,
S'évanouit devant l'horrible grondement.
Tous, chefs, soldats, ce fut l'affaire d'un moment,
Croyant être en des lieux surhumains où se forme
On ne sait quel courroux de la nature énorme,
Disparurent, tremblants, rampants, perdus, cachés.
Et le monstre cria : — Monts et forêts, sachez
Qu'un lion libre est plus que mille hommes esclave

                              *

Les bêtes ont le cri comme un volcan les laves ;
Et cette éruption qui monte au firmament

D'ordinaire suffit à leur apaisement ;
Les lions sont sereins plus que les dieux peut-être ;
Jadis, quand l'éclatant Olympe était le maître,
Les Hercules disaient : — Si nous étranglions
A la fin, une fois pour toutes, les lions ?
Et les lions disaient : — Faisons grâce aux Hercules.

Pourtant ce lion-ci, fils des noirs crépuscules,
Resta sinistre, obscur, sombre ; il était de ceux
Qui sont à se calmer rétifs et paresseux,
Et sa colère était d'une espèce farouche.
La bête veut dormir quand le soleil se couche ;
Il lui déplaît d'avoir affaire aux chiens rampants ;
Ce lion venait d'être en butte aux guet-apens ;
On venait d'insulter la forêt magnanime ;
Il monta sur le mont, se dressa sur la cime,
Et reprit la parole, et, comme le semeur
Jette sa graine au loin, prolongea sa clameur
De façon que le roi l'entendit dans sa ville :

— Roi ! tu m'as attaqué d'une manière vile !
Je n'ai point jusqu'ici fait mal à ton garçon ;
Mais, roi, je t'avertis, par-dessus l'horizon,
Que j'entrerai demain dans ta ville à l'aurore,
Que je t'apporterai l'enfant vivant encore,
Que j'invite à me voir entrer tous tes valets,
Et que je mangerai ton fils dans ton palais.

La nuit passa, laissant les ruisseaux fuir sous l'herbe
Et la nuée errer au fond du ciel superbe.

Le lendemain on vit dans la ville ceci :

L'aurore ; le désert ; des gens criant merci,
Fuyant, faces d'effroi bien vite disparues ;
Et le vaste lion qui marchait dans les rues.

IV

L'AURORE

Le blême peuple était dans les caves épars.
A quoi bon résister ? Pas un homme aux remparts ;
Les portes de la ville étaient grandes ouvertes.
Ces bêtes à demi divines sont couvertes
D'une telle épouvante et d'un doute si noir,
Leur antre est un si morne et si puissant manoir,
Qu'il est décidément presque impie et peu sage,
Quand il leur plaît d'errer, d'être sur leur passage.
Vers le palais chargé d'un dôme d'or massif
Le lion à pas lents s'acheminait pensif,
Encor tout hérissé des flèches dédaignées ;
Une écorce de chêne a des coups de cognées,
Mais l'arbre n'en meurt pas ; et, sans voir un archer,
Grave, il continuait d'aller et de marcher ;
Et le peuple tremblait, laissant la bête seule.
Le lion avançait, tranquille, et dans sa gueule
Effroyable il avait l'enfant évanoui.

Un petit prince est-il un petit homme ? Oui.
Et la sainte pitié pleurait dans les ténèbres.
Le doux captif, livide entre ces crocs funèbres,
Était des deux côtés de la gueule pendant,
Pâle, mais n'avait pas encore un coup de dent ;
Et, cette proie étant un bâillon dans sa bouche,
Le lion ne pouvait rugir, ennui farouche
Pour un monstre, et son calme était très furieux ;
Son silence augmentait la flamme de ses yeux ;
Aucun arc ne brillait dans aucune embrasure ;
Peut-être craignait-on qu'une flèche peu sûre,
Tremblante, mal lancée au monstre triomphant,
Ne manquât le lion et ne tuât l'enfant.

*

Comme il l'avait promis par-dessus la montagne,
Le monstre, méprisant la ville comme un bagne,
Alla droit au palais, las de voir tout trembler,
Espérant trouver là quelqu'un à qui parler,
La porte ouverte, ainsi qu'au vent le jonc frissonne,
Vacillait. Il entra dans le palais. Personne.

Tout en pleurant son fils, le roi s'était enfui
Et caché comme tous, voulant vivre aussi lui,
S'estimant au bonheur des peuples nécessaire.
Une bête féroce est un être sincère
Et n'aime point la peur ; le lion se sentit
Honteux d'être si grand, l'homme étant si petit ;
Il se dit, dans la nuit qu'un lion a pour âme :
— C'est bien, je mangerai le fils. Quel père infâme ! —
Terrible, après la cour prenant le corridor,
Il se mit à rôder sous les hauts plafonds d'or ;
Il vit le trône, et rien dedans ; des chambres vertes,
Jaunes, rouges, aux seuils vides, toutes désertes ;
Le monstre allait de salle en salle, pas à pas,
Affreux, cherchant un lieu commode à son repas ;
Il avait faim. Soudain l'effrayant marcheur fauve
S'arrêta.

*

Près du parc en fleur, dans une alcôve,
Un pauvre être, oublié dans la fuite, bercé
Par l'immense humble rêve à l'enfance versé,
Inondé de soleil à travers la charmille,
Se réveillait. C'était une petite fille ;
L'autre enfant du roi. Seule et nue, elle chantait.
Car l'enfant chante même alors que tout se tait.

Une ineffable voix, plus tendre qu'une lyre,
Une petite bouche avec un grand sourire,
Un ange dans un tas de joujoux, un berceau,
Crèche pour un Jésus ou nid pour un oiseau,
Deux profonds yeux bleus, pleins de clartés inconnues,

5

Col nu, pieds nus, bras nus, ventre nu, jambes nues,
Une brassière blanche allant jusqu'au nombril.
Un astre dans l'azur, un rayon en avril,
Un lys du ciel daignant sur cette terre éclore,
Telle était cette enfant plus douce que l'aurore ;
Et le lion venait d'apercevoir cela.

Il entra dans la chambre, et le plancher trembla.

Par-dessus les jouets qui couvraient une table,
Le lion avança sa tête épouvantable,
Sombre en sa majesté de monstre et d'empereur,
Et sa proie en sa gueule augmentait son horreur.
L'enfant le vit, l'enfant cria : — Frère ! mon frère !
Ah ! mon frère ! — et debout, rose dans la lumière
Qui la divinisait et qui la réchauffait,
Regarda ce géant des bois, dont l'œil eût fait
Reculer les Typhons et fuir les Briarées.
Qui sait ce qui se passe en ces têtes sacrées ?
Elle se dressa droite au bord du lit étroit,
Et menaça le monstre avec son petit doigt.
Alors, près du berceau de soie et de dentelle,
Le grand lion posa son frère devant elle,
Comme eût fait une mère en abaissant les bras,
Et lui dit : — Le voici. Là ! ne te fâche pas !

À DES ÂMES ENVOLÉES[38]

Ces âmes que tu rappelles,
Mon cœur, ne reviennent pas.
Pourquoi donc s'obstinent-elles,
Hélas! à rester là-bas?

Dans les sphères éclatantes,
Dans l'azur et les rayons,
Sont-elles donc plus contentes
Qu'avec nous qui les aimions?

Nous avions sous les tonnelles
Une maison près Saint-Leu.
Comme les fleurs étaient belles!
Comme le ciel était bleu!

Parmi les feuilles tombées,
Nous courions au bois vermeil;
Nous cherchions des scarabées
Sur les vieux murs au soleil;

On riait de ce bon rire
Qu'Éden jadis entendit,
Ayant toujours à se dire
Ce qu'on s'était déjà dit;

Je contais la Mère l'Oie ;
On était heureux, Dieu sait !
On poussait des cris de joie
Pour un oiseau qui passait.

LAUS PUERO[39]

I

LES ENFANTS GÂTÉS

En me voyant si peu redoutable aux enfants,
Et si rêveur devant les marmots triomphants,
Les hommes sérieux froncent leurs sourcils mornes.
Un grand-père échappé passant toutes les bornes,
C'est moi. Triste, infini dans la paternité,
Je ne suis rien qu'un bon vieux sourire entêté.
Ces chers petits ! Je suis grand-père sans mesure ;
Je suis l'ancêtre aimant ces nains que l'aube azure,
Et regardant parfois la lune avec ennui,
Et la voulant pour eux, et même un peu pour lui ;
Pas raisonnable enfin. C'est terrible. Je règne
Mal, et je ne veux pas que mon peuple me craigne ;
Or, mon peuple, c'est Jeanne et George ; et moi,
                                                [barbon,
Aïeul sans frein, ayant cette rage, être bon,
Je leur fais enjamber toutes les lois, et j'ose
Pousser aux attentats leur république rose ;
La popularité malsaine me séduit ;
Certe, on passe au vieillard, qu'attend la froide nuit,
Son amour pour la grâce et le rire et l'aurore ;
Mais des petits, qui n'ont pas fait de crime encore,

Je vous demande un peu si le grand-père doit
Être anarchique, au point de leur montrer du doigt,
Comme pouvant dans l'ombre avoir des aventures,
L'auguste armoire où sont les pots de confitures !
Oui, j'ai pour eux, parfois, — ménagères, pleurez ! —
Consommé le viol de ces vases sacrés.
Je suis affreux. Pour eux je grimpe sur des chaises !
Si je vois dans un coin une assiette de fraises
Réservée au dessert de nous autres, je dis :
— Ô chers petits oiseaux goulus du paradis,
C'est à vous ! Voyez-vous, en bas, sous la fenêtre,
Ces enfants pauvres, l'un vient à peine de naître,
Ils ont faim. Faites-les monter, et partagez. —

Jetons le masque. Eh bien ! je tiens pour préjugés,
Oui, je tiens pour erreurs stupides les maximes
Qui veulent interdire aux grands aigles les cimes,
L'amour aux seins d'albâtre et la joie aux enfants.
Je nous trouve ennuyeux, assommants, étouffants.
Je ris quand nous enflons notre colère d'homme
Pour empêcher l'enfant de cueillir une pomme,
Et quand nous permettons un faux serment aux rois.
Défends moins tes pommiers et défends mieux tes
                                                    [droits,
Paysan. Quand l'opprobre est une mer qui monte,
Quand je vois le bourgeois voter oui pour sa honte ;
Quand Scapin est évêque et Basile banquier ;
Quand, ainsi qu'on remue un pion sur l'échiquier,
Un aventurier pose un forfait sur la France,
Et le joue, impassible et sombre, avec la chance
D'être forçat s'il perd et s'il gagne empereur ;
Quand on le laisse faire, et qu'on voit sans fureur
Régner la trahison abrutie en orgie,
Alors dans les berceaux moi je me réfugie,
Je m'enfuis dans la douce aurore, et j'aime mieux
Cet essaim d'innocents, petits démons joyeux
Faisant tout ce qui peut leur passer par la tête,
Que la foule acceptant le crime en pleine fête
Et tout ce bas-empire infâme dans Paris ;
Et les enfants gâtés que les pères pourris.

II

LE SYLLABUS[40]

Tout en mangeant d'un air effaré vos oranges, [anges,
Vous semblez aujourd'hui, mes tremblants petits
      Me redouter un peu ;
Pourquoi ? c'est ma bonté qu'il faut toujours attendre,
Jeanne, et c'est le devoir de l'aïeul d'être tendre
      Et du ciel d'être bleu.

N'ayez pas peur. C'est vrai, j'ai l'air fâché, je gronde,
Non contre vous. Hélas, enfants, dans ce vil monde,
      Le prêtre hait et ment ;
Et, voyez-vous, j'entends jusqu'en nos verts asiles
Un sombre brouhaha de choses imbéciles
      Qui passe en ce moment.
                        [traire.
Les prêtres font de l'ombre. Ah ! je veux m'y sous-
La plaine resplendit ; viens, Jeanne, avec ton frère,
      Viens, George, avec ta sœur ;
Un rayon sort du lac, l'aube est dans la chaumière ;
Ce qui monte de tout vers Dieu, c'est la lumière ;
      Et d'eux, c'est la noirceur.

J'aime une petitesse et je déteste l'autre ;
Je hais leur bégaiement et j'adore le vôtre ;
      Enfants, quand vous parlez,
Je me penche, écoutant ce que dit l'âme pure,
Et je crois entrevoir une vague ouverture
      Des grands cieux étoilés.

Car vous êtiez hier, ô doux parleurs étranges,
Les interlocuteurs des astres et des anges ;
      En vous rien n'est mauvais ;
Vous m'apportez, à moi sur qui gronde la nue,
On ne sait quel rayon de l'aurore inconnue ;
      Vous en venez, j'y vais.

Ce que vous dites sort du firmament austère ;
Quelque chose de plus que l'homme et que la terre
                    Est dans vos jeunes yeux ;
Et votre voix où rien n'insulte, où rien ne blâme,
Où rien ne mord, s'ajoute au vaste épithalame
                    Des bois mystérieux.

Ce doux balbutiement me plaît, je le préfère ;
Car j'y sens l'idéal ; j'ai l'air de ne rien faire
                    Dans les fauves forêts.
Et pourtant Dieu sait bien que tout le jour j'écoute
L'eau tomber d'un plafond de rochers goutte à goutte
                    Au fond des antres frais.

Ce qu'on appelle mort et ce qu'on nomme vie
Parle la même langue à l'âme inassouvie ;
                    En bas nous étouffons ;
Mais rêver, c'est planer dans les apothéoses,
C'est comprendre ; et les nids disent les mêmes choses
                    Que les tombeaux profonds.

Les prêtres vont criant : Anathème ! anathème !
Mais la nature dit de toutes parts : Je t'aime !
                    Venez, enfants ; le jour
Est partout, et partout on voit la joie éclore ;
Et l'infini n'a pas plus d'azur et d'aurore
                    Que l'âme n'a d'amour.

J'ai fait la grosse voix contre ces noirs pygmées ;
Mais ne me craignez pas ; les fleurs sont embaumées,
                    Les bois sont triomphants ;
Le printemps est la fête immense, et nous en sommes ;
Venez, j'ai quelquefois fait peur aux petits hommes,
                    Non aux petits enfants.

III

ENVELOPPE D'UNE PIÈCE DE MONNAIE DANS UNE QUÊTE FAITE PAR JEANNE[41]

Mes amis, qui veut de la joie ?
Moi, toi, vous. Eh bien, donnons tous.
Donnons aux pauvres à genoux ;
Le soir, de peur qu'on ne nous voie.

Le pauvre, en pleurs sur le chemin,
Nu sur son grabat misérable,
Affamé, tremblant, incurable,
Est l'essayeur du cœur humain.

Qui le repousse en est plus morne ;
Qui l'assiste s'en va content.
Ce vieux homme humble et grelottant,
Ce spectre du coin de la borne,

Cet infirme aux pas alourdis,
Peut faire, en notre âme troublée,
Descendre la joie étoilée
Des profondeurs du paradis.

Êtes-vous sombre ? Oui, vous l'êtes ;
Eh bien, donnez ; donnez encor.
Riche, en échange d'un peu d'or
Ou d'un peu d'argent que tu jettes,

Indifférent, parfois moqueur,
A l'indigent dans sa chaumière,
Dieu te donne de la lumière
Dont tu peux te remplir le cœur !

Vois, pour ton sequin, blanc ou jaune,
Vil sou que tu crois précieux,

Dieu t'offre une étoile des cieux
Dans la main tendue à l'aumône.

IV

A PROPOS DE LA LOI
DITE LIBERTÉ DE L'ENSEIGNEMENT[42]

Prêtres, vous complotez de nous sauver, à l'aide
Des ténèbres, qui sont en effet le remède
      Contre l'astre et le jour ;
Vous faites l'homme libre au moyen d'une chaîne ;
Vous avez découvert cette vertu, la haine,
      Le crime étant l'amour.

Vous êtes l'innombrable attaquant le sublime ;
L'esprit humain, colosse, a pour tête la cime
      Des hautes vérités ;
Fatalement ce front qui se dresse dans l'ombre
Attire à sa clarté le fourmillement sombre
      Des dogmes irrités.

En vain le grand lion rugit, gronde, extermine ;
L'insecte vil s'acharne ; et toujours la vermine
      Fit tout ce qu'elle put ;
Nous méprisons l'immonde essaim qui tourbillonne ;
Nous vous laissons bruire, et contre Babylone
      Insurger Lilliput.

Pas plus qu'on ne verrait sous l'assaut des cloportes
Et l'effort des cirons tomber Thèbe aux cent portes
      Et Ninive aux cent tours,
Pas plus qu'on ne verrait se dissiper le Pinde,
Ou l'Olympe, ou l'immense Himalaya de l'Inde
      Sous un vol de vautour,

On ne verra crouler sous vos battements d'ailes
Voltaire et Diderot, ces fermes citadelles,
      Platon qu'Horace aimait,
Et ce vieux Dante ouvert, au fond des cieux qu'il dore,
Sur le noir passé, comme une porte d'aurore
      Sur un sombre sommet.

Ce rocher, ce granit, ce mont, la pyramide,
Debout dans l'ouragan sur le sable numide,
      Hanté par les esprits,
S'aperçoit-il qu'il est, lui l'âpre hiéroglyphe,
Insulté par la fiente ou rayé par la griffe
      De la chauve-souris ?

Non, l'avenir ne peut mourir de vos morsures.
Les flèches du matin sont divines et sûres ;
      Nous vaincrons, nous voyons !
Erreurs, le vrai vous tue ; ô nuit, le jour te vise ;
Et nous ne craignons pas que jamais l'aube épuise
      Son carquois de rayons.

Donc, soyez dédaignés sous la voûte éternelle.
L'idéal n'aura pas moins d'aube en sa prunelle
      Parce que vous vivrez.
La réalité rit et pardonne au mensonge.
Quant à moi, je serai satisfait, moi qui songe
      Devant les cieux sacrés,

Tant que Jeanne sera mon guide sur la terre,
Tant que Dieu permettra que j'aie, ô pur mystère !
      En mon âpre chemin,
Ces deux bonheurs où tient tout l'idéal possible,
Dans l'âme un astre immense, et dans ma main paisible
      Une petite main.

V

LES ENFANTS PAUVRES

Prenez garde à ce petit être ;
Il est bien grand, il contient Dieu.
Les enfants sont, avant de naître,
Des lumières dans le ciel bleu.

Dieu nous les offre en sa largesse ;
Ils viennent ; Dieu nous en fait don ;
Dans leur rire il met sa sagesse
Et dans leur baiser son pardon.

Leur douce clarté nous effleure.
Hélas, le bonheur est leur droit.
S'ils ont faim, le paradis pleure.
Et le ciel tremble, s'ils ont froid.

La misère de l'innocence
Accuse l'homme vicieux.
L'homme tient l'ange en sa puissance.
Oh ! quel tonnerre au fond des cieux,

Quand Dieu, cherchant ces êtres frêles
Que dans l'ombre où nous sommeillons
Il nous envoie avec des ailes,
Les retrouve avec des haillons !

VI

AUX CHAMPS [43]

Je me penche attendri sur les bois et les eaux,
Rêveur, grand-père aussi des fleurs et des oiseaux ;

J'ai la pitié sacrée et profonde des choses ;
J'empêche les enfants de maltraiter les roses ;
Je dis : N'effarez point la plante et l'animal ;
Riez sans faire peur, jouez sans faire mal.
Jeanne et Georges, fronts purs, prunelles éblouies,
Rayonnent au milieu des fleurs épanouies ;
J'erre, sans le troubler, dans tout ce paradis ;
Je les entends chanter, je songe, et je me dis
Qu'ils sont inattentifs, dans leurs charmants tapages,
Au bruit sombre que font en se tournant les pages
Du mystérieux livre où le sort est écrit,
Et qu'ils sont loin du prêtre et près de Jésus-Christ.

VII

ENCORE L'IMMACULÉE CONCEPTION

Attendez. Je regarde une petite fille.
Je ne la connais pas ; mais cela chante et brille ;
C'est du rire, du ciel, du jour, de la beauté,
Et je ne puis passer froidement à côté.
Elle n'a pas trois ans. C'est l'aube qu'on rencontre.
Peut-être elle devrait cacher ce qu'elle montre,
Mais elle n'en sait rien, et d'ailleurs c'est charmant.
Cela, certes, ressemble au divin firmament
Plus que la face auguste et jaune d'un évêque.
Le babil des marmots est ma bibliothèque ;
J'ouvre chacun des mots qu'ils disent, comme on prend
Un livre, et j'y découvre un sens profond et grand,
Sévère quelquefois. Donc j'écoute cet ange ;
Et ce gazouillement me rassure, me venge,
M'aide à rire du mal qu'on veut me faire, éteint
Ma colère, et vraiment m'empêche d'être atteint
Par l'ombre du hideux sombrero de Basile.
Cette enfant est un cœur, une fête, un asile,
Et Dieu met dans son souffle et Dieu mêle à sa voix
Toutes les fleurs des champs, tous les oiseaux des bois ;

Ma Jeanne, qui pourrait être sa sœur jumelle,
Traînait, l'été dernier, un chariot comme elle,
L'emplissait, le vidait, riait d'un rire fou,
Courait. Tous les enfants ont le même joujou ;
Tous les hommes aussi. C'est bien, va, sois ravie,
Et traîne ta charrette, en attendant la vie.

Louange à Dieu ! Toujours un enfant m'apaisa.
Doux être ! voyez-moi les mains que ça vous a !
Allons, remettez donc vos bas, mademoiselle.
Elle est pieds nus, elle est barbouillée, elle est belle ;
Sa charrette est cassée, et, comme nous, ma foi,
Elle se fait un char avec n'importe quoi.
Tout est char de triomphe à l'enfant comme à l'homme.
L'enfant aussi veut être un peu bête de somme
Comme nous ; il se fouette, il s'impose une loi ;
Il traîne son hochet comme nous notre roi ;
Seulement l'enfant brille où le peuple se vautre.
Bon, voici maintenant qu'on en amène une autre ;
Une d'un an, sa sœur sans doute ; un grand chapeau,
Une petite tête, et des yeux ! une peau !
Un sourire ! oh ! qu'elle est tremblante et délicate !
Chef-d'œuvre, montrez-moi votre petite patte.
Elle allonge le pied et chante... c'est divin.
Quand je songe, et Veuillot n'a pu le dire en vain,
Qu'elles ont toutes deux la tache originelle !
La Chute est leur vrai nom. Chacune porte en elle
L'affreux venin d'Adam (bon style Patouillet) ;
Elles sont, sous le ciel qu'Ève jadis souillait,
D'horribles péchés, faits d'une façon charmante ;
La beauté qui s'ajoute à la faute l'augmente ;
Leur grâce est un remords de plus pour le pécheur,
Et leur mère apparaît, noire de leur blancheur ;
Ces enfants que l'aube aime et que la fleur encense,
C'est la honte portant ce masque, l'innocence ;
Dans ces yeux purs, Trublet l'affirme en son sermon,
Brille l'incognito sinistre du démon ;
C'est le mal, c'est l'enfer, cela sort des abîmes !
Soit. Laissez-moi donner des gâteaux à ces crimes.

VIII

MARIÉE ET MÈRE

Voir la Jeanne de Jeanne ! oh ! ce serait mon rêve !
Il est dans l'ombre sainte un ciel vierge où se lève
Pour on ne sait quels yeux on ne sait quel soleil ;
Les âmes à venir sont là ; l'azur vermeil
Les berce, et Dieu les garde, en attendant la vie ;
Car, pour l'âme aux destins ignorés asservie,
Il est deux horizons d'attente, sans combats,
L'un avant, l'autre après le passage ici-bas ;
Le berceau cache l'un, la tombe cache l'autre.
Je pense à cette sphère inconnue à la nôtre
Où, comme un pâle essaim confusément joyeux,
Des flots d'âmes en foule ouvrent leurs vagues yeux ;
Puis, je regarde Jeanne, ange que Dieu pénètre,
Et les petits garçons jouant sous ma fenêtre,
Toute cette gaîté de l'âge sans douleur,
Tous ces amours dans l'œuf, tous ces époux en fleur ;
Et je médite ; et Jeanne entre, sort, court, appelle,
Traîne son petit char, tient sa petite pelle,
Fouille dans mes papiers, creuse dans le gazon,
Saute et jase, et remplit de clarté la maison ;
Son rire est le rayon, ses pleurs sont la rosée.
Et dans vingt ans d'ici je jette ma pensée,
Et de ce qui sera je me fais le témoin,
Comme on jette une pierre avec la fronde au loin.

Une aurore n'est pas faite pour rester seule.

Mon âme de cette âme enfantine est l'aïeule,
Et dans son jeune sort mon cœur pensif descend.

Un jour, un frais matin quelconque, éblouissant,
Épousera cette aube encor pleine d'étoiles ;
Et quelque âme, à cette heure errante sous les voiles

Où l'on sent l'avenir en Dieu se reposer,
Profitera pour naître ici-bas d'un baiser
Que se donneront l'une à l'autre ces aurores.
Ô tendre oiseau des bois qui dans ton nid pérores,
Voix éparse au milieu des arbres palpitants
Qui chantes la chanson sonore du printemps,
Ô mésange, ô fauvette, ô tourterelle blanche,
Sorte de rêve ailé fuyant de branche en branche,
Doux murmure envolé dans les champs embaumés,
Je t'écoute et je suis plein de songes. Aimez,
Vous qui vivrez ! Hymen ! chaste hymen ! Ô nature !
Jeanne aura devant elle alors son aventure,
L'être en qui notre sort s'accroît et s'interrompt ;
Elle sera la mère au jeune et grave front ;
La gardienne d'une aube à qui la vie est due,
Épouse responsable et nourrice éperdue,
La tendre âme sévère, et ce sera son tour
De se pencher, avec un inquiet amour,
Sur le frêle berceau, céleste et diaphane ;
Ma Jeanne, ô rêve ! azur ! contemplera sa Jeanne ;
Elle l'empêchera de pleurer, de crier,
Et lui joindra les mains, et la fera prier,
Et sentira sa vie à ce souffle mêlée.
Elle redoutera pour elle une gelée,
Le vent, tout, rien. Ô fleur fragile du pêcher !
Et, quand le doux petit ange pourra marcher,
Elle le mènera jouer aux Tuileries ;
Beaucoup d'enfants courront sous les branches fleuries,
Mêlant l'avril de l'homme au grand avril de Dieu ;
D'autres femmes, gaîment, sous le même ciel bleu,
Seront là comme Jeanne, heureuses, réjouies
Par cette éclosion d'âmes épanouies ;
Et, sur cette jeunesse inclinant leur beau front,
Toutes ces mères, sœurs devant Dieu, souriront
Dans l'éblouissement de ces roses sans nombre.

Moi je ne serai plus qu'un œil profond dans l'ombre.

IX

Que voulez-vous ? L'enfant me tient en sa puissance ;
Je finis par ne plus aimer que l'innocence ;
Tous les hommes sont cuivre et plomb, l'enfance est or.
J'adore Astyanax et je gourmande Hector.
Es-tu sûr d'avoir fait ton devoir envers Troie ?
Mon ciel est un azur, qui, par instants, foudroie.
Bonté, fureur, c'est là mon flux et mon reflux,
Et je ne suis borné d'aucun côté, pas plus
Quand ma bouche sourit que lorsque ma voix gronde ;
Je me sens plein d'une âme étoilée et profonde ;
Mon cœur est sans frontière, et je n'ai pas d'endroit
Où finisse l'amour des petits, et le droit
Des faibles, et l'appui qu'on doit aux misérables ;
Si c'est un mal, il faut me mettre aux Incurables.
Je ne vois pas qu'allant du ciel au genre humain,
Un rayon de soleil s'arrête à mi-chemin ;
La modération du vrai m'est inconnue ;
Je veux le rire franc, je veux l'étoile nue.
Je suis vieux, vous passez, et moi, triste ou content,
J'ai la paternité du siècle sur l'instant.
Trouvez-moi quelque chose, et quoi que ce puisse être
D'extrême, appartenant à mon emploi d'ancêtre,
Blâme aux uns ou secours aux autres, je le fais.
Un jour, je fus parmi les vainqueurs, j'étouffais ;
Je sentais à quel point vaincre est impitoyable ;
Je pris la fuite. Un roc, une plage de sable
M'accueillirent [44]. La Mort vint me parler. « Proscrit,
Me dit-elle, salut ! » Et quelqu'un me sourit,
Quelqu'un de grand qui rêve en moi, ma conscience.
Et j'aimai les enfants, ne voyant que l'enfance,
Ô ciel mystérieux, qui valût mieux que moi.
L'enfant, c'est de l'amour et de la bonne foi.
Le seul être qui soit dans cette sombre vie
Petit avec grandeur puisqu'il l'est sans envie,
C'est l'enfant.

                    C'est pourquoi j'aime ces passereaux.

*

Pourtant, ces myrmidons je les rêve héros.
France, j'attends qu'ils soient au devoir saisissables.
Dès que nos fils sont grands, je les sens responsables ;
Je cesse de sourire ; et je me dis qu'il faut
Livrer une bataille immense à l'échafaud,   [repaires.
Au trône, au sceptre, au glaive, aux Louvres, aux
Je suis tendre aux petits, mais rude pour les pères.
C'est ma façon d'aimer les hommes faits ; je veux
Qu'on pense à la patrie, empoignée aux cheveux
Et par les pieds traînée autour du camp vandale ;
Lorsqu'à Rome, à Berlin, la bête féodale
Renaît et rouvre, affront pour le soleil levant,
Deux gueules qui d'ailleurs s'entremordent souvent,
Je m'indigne. Je sens, ô suprême souffrance,
La diminution tragique de la France,
Et j'accuse quiconque a la barbe au menton ;
Quoi ! ce grand imbécile a l'âge de Danton !
Quoi ! ce drôle est Jocrisse et pourrait être Hoche !
Alors l'aube à mes yeux surgit comme un reproche,
Tout s'éclipse, et je suis de la tombe envieux.
Morne, je me souviens de ce qu'ont fait les vieux ;
Je songe à l'océan assiégeant les falaises,
Au vaste écroulement qui suit les Marseillaises,
Aux portes de la nuit, aux Hydres, aux dragons,
A tout ce que ces preux ont jeté hors des gonds !
Je les revois mêlant aux éclairs leur bannière ;
Je songe à la joyeuse et farouche manière
Dont ils tordaient l'Europe entre leurs poings d'airain ;
Oh ! ces soldats du Nil, de l'Argonne et du Rhin,
Ces lutteurs, ces vengeurs, je veux qu'on les imite !
Je vous le dis, je suis un aïeul sans limite ;
Après l'ange je veux l'archange au firmament ;
Moi grand-père indulgent, mais ancêtre inclément,
Aussi doux d'un côté que sévère de l'autre,
J'aime la gloire énorme et je veux qu'on s'y vautre
Quand cette gloire est sainte et sauve mon pays !
Dans les Herculanums et dans les Pompéïs

Je ne veux pas qu'on puisse un jour compter nos villes ;
Je ne vois pas pourquoi les âmes seraient viles ;
Je ne vois pas pourquoi l'on n'égalerait pas
Dans l'audace, l'effort, l'espoir, dans le trépas,
Les hommes d'Iéna, d'Ulm et des Pyramides ;
Les vaillants ont-ils donc engendré les timides ?
Non, vous avez du sang aux veines, jeunes gens !
Nos aïeux ont été des héros outrageants
Pour le vieux monde infâme ; il reste de la place
Dans l'avenir ; soyez peuple et non populace ;
Soyez comme eux géants ! Je n'ai pas de raisons
Pour ne point souhaiter les mêmes horizons,
Les mêmes nations en chantant délivrées,
Le même arrachement des fers et des livrées,
Et la même grandeur sans tache et sans remords
À nos enfants vivants qu'à nos ancêtres morts !

XVI

DEUX CHANSONS [45]

I

CHANSON DE GRAND-PÈRE

Dansez, les petites filles,
   Toutes en rond.
En vous voyant si gentilles,
   Les bois riront.

Dansez, les petites reines,
   Toutes en rond.
Les amoureux sous les frênes
   S'embrasseront.

Dansez, les petites folles,
   Toutes en rond.
Les bouquins dans les écoles
   Bougonneront.

Dansez, les petites belles,
   Toutes en rond.
Les oiseaux avec leurs ailes
   Applaudiront.

Dansez, les petites fées,
    Toutes en rond.
Dansez, de bleuets coiffées,
    L'aurore au front.

Dansez, les petites femmes,
    Toutes en rond.
Les messieurs diront aux dames
    Ce qu'ils voudront.

II

CHANSON D'ANCÊTRE

Parlons de nos aïeux sous la verte feuillée.
Parlons de nos pères, fils ! — Ils ont rompu leurs fers,
Et vaincu ; leur armure est aujourd'hui rouillée.
Comme il tombe de l'eau d'une éponge mouillée,
De leur âme dans l'ombre il tombait des éclairs,
Comme si dans la foudre on les avait trempées.
        Frappez, écoliers,
        Avec les épées
        Sur les boucliers.

Ils craignaient le vin sombre et les pâles ménades ;
Ils étaient indignés, ces vieux fils de Brennus,
De voir les rois passer fiers sous les colonnades,
Les cortèges des rois étant des promenades
De prêtres, de soldats, de femmes aux seins nus,
D'hymnes et d'encensoirs, et de têtes coupées.
        Frappez, écoliers,
        Avec les épées
        Sur les boucliers.

Ils ont voulu, couvé, créé la délivrance ;
Ils étaient les titans, nous sommes les fourmis ;
Ils savaient que la Gaule enfanterait la France ;

Quand on a la hauteur, on a la confiance ;
Les montagnes, à qui le rayon est promis,
Songent, et ne sont point par l'aurore trompées.
                    Frappez, écoliers,
                    Avec les épées
                    Sur les boucliers.

Quand une ligue était par les princes construite,
Ils grondaient, et, pour peu que la chose en valût
La peine, et que leur chef leur criât : Tout de suite !
Ils accouraient ; alors les rois prenaient la fuite
En hâte, et les chansons d'un vil joueur de luth
Ne sont pas dans les airs plus vite dissipées.
                    Frappez, écoliers,
                    Avec les épées
                    Sur les boucliers.

Lutteurs du gouffre, ils ont découronné le crime,
Brisé les autels noirs, détruit les dieux brigands ;
C'est pourquoi, moi vieillard, penché sur leur abîme,
Je les déclare grands, car rien n'est plus sublime
Que l'océan avec ses profonds ouragans,
Si ce n'est l'homme avec ses sombres épopées.
                    Frappez, écoliers,
                    Avec les épées
                    Sur les boucliers.

                                            [flâmes.
Hélas ! sur leur flambeau, nous leurs fils, nous souf-
Fiers aïeux ! ils disaient au faux prêtre : Va-t'en !
Du bûcher misérable ils éteignaient les flammes,
Et c'est par leur secours que plusieurs grandes âmes,
Mises injustement au bagne par Satan,
Tu le sais, Dieu ! se sont de l'enfer échappées.
                    Frappez, écoliers,
                    Avec les épées
                    Sur les boucliers.

Levez vos fronts ; voyez ce pur sommet, la gloire,
Ils étaient là ; voyez cette cime, l'honneur,
Ils étaient là ; voyez ce hautain promontoire,

La liberté ; mourir libres fut leur victoire ;
Il faudra, car l'orgie est un lâche bonheur,
Se remettre à gravir ces pentes escarpées.
                    Frappez, chevaliers,
                    Avec les épées
                    Sur les boucliers.

XVII

JEANNE ENDORMIE. — IV

L'oiseau chante ; je suis au fond des rêveries.

Rose, elle est là qui dort sous les branches fleuries,
Dans son berceau tremblant comme un nid d'alcyon,
Douce, les yeux fermés, sans faire attention
Au glissement de l'ombre et du soleil sur elle.
Elle est toute petite, elle est surnaturelle.
Ô suprême beauté de l'enfant innocent !
Moi je pense, elle rêve ; et sur son front descend
Un entrelacement de visions sereines ;
Des femmes de l'azur qu'on prendrait pour des reines,
Des anges, des lions ayant des airs benins,
De pauvres bons géants protégés par des nains,
Des triomphes de fleurs dans les bois, des trophées
D'arbres célestes, pleins de la lueur des fées,
Un nuage où l'éden apparaît à demi,
Voilà ce qui s'abat sur l'enfant endormi.
Le berceau des enfants est le palais des songes ;
Dieu se met à leur faire un tas de doux mensonges ;
De là leur frais sourire et leur profonde paix.
Plus d'un dira plus tard : Bon Dieu, tu me trompais.

Mais le bon Dieu répond dans la profondeur sombre :
— Non. Ton rêve est le ciel. Je t'en ai donné l'ombre.
Mais ce ciel, tu l'auras. Attends l'autre berceau ;
La tombe. —   [oiseau !
            Ainsi je songe. Ô printemps ! Chante,

XVIII

QUE LES PETITS LIRONT
QUAND ILS SERONT GRANDS[46]

I

PATRIE

Ô France, ton malheur m'indigne et m'est sacré.
Je l'ai dit, et jamais je ne me lasserai
De le redire, et c'est le grand cri de mon âme,
Quiconque fait du mal à ma mère est infâme.
En quelque lieu qu'il soit caché, tous mes souhaits
Le menacent ; sur terre ou là-haut, je le hais.
César, je le flétris ; destin, je le secoue.
Je questionne l'ombre et je fouille la boue ;
L'empereur, ce brigand, le hasard, ce bandit,
Éveillent ma colère ; et ma strophe maudit
Avec des pleurs sanglants, avec des cris funèbres,
Le sort, ce mauvais drôle errant dans les ténèbres ;
Je rappelle la nuit, le gouffre, le ciel noir,
Et les événements farouches, au devoir.
Je n'admets pas qu'il soit permis aux sombres causes
Qui mêlent aux droits vrais l'aveuglement des choses
De faire rebrousser chemin à la raison ;
Je dénonce un revers qui vient par trahison ;
Quand la gloire et l'honneur tombent dans une
                                        [embûche,
J'affirme que c'est Dieu lui-même qui trébuche ;

J'interpelle les faits tortueux et rampants,
La victoire, l'hiver, l'ombre et ses guet-apens ;
Je dis à ces passants quelconques de l'abîme
Que je les vois, qu'ils sont en train de faire un crime,
Que nous ne sommes point des femmes à genoux,
Que nous réfléchissons, qu'ils prennent garde à nous,
Que ce n'est pas ainsi qu'on doit traiter la France,
Et que, même tombée au fond de la souffrance,
Même dans le sépulcre, elle a l'étoile au front.
Je voudrais bien savoir ce qu'ils me répondront.
Je suis un curieux, et je gênerai, certe,
Le destin qu'un regard sévère déconcerte,
Car on est responsable au ciel plus qu'on ne croit.
Quand le progrès devient boiteux, quand Dieu décroît
En apparence, ayant sur lui la nuit barbare,   [barre,
Quand l'homme est un esquif dont Satan prend la
Il est certain que l'âme humaine est au cachot,
Et qu'on a dérangé quelque chose là-haut.
C'est pourquoi je demande à l'ombre la parole.
Je ne suis pas de ceux dont la fierté s'envole,
Et qui, pour avoir vu régner des ruffians
Et des gueux, cessent d'être à leur droit confiants ;
Je lave ma sandale et je poursuis ma route ;
Personne n'a jamais vu mon âme en déroute ;
Je ne me trouble point parce qu'en ses reflux
Le vil destin sur nous jette un Rosbach de plus ;
La défaite me fait songer à la victoire ;
J'ai l'obstination de l'altière mémoire ;
Notre linceul toujours eut la vie en ses plis ;
Quand je lis Waterloo, je prononce Austerlitz.
Le deuil donne un peu plus de hauteur à ma tête.
Mais ce n'est pas assez, je veux qu'on soit honnête
Là-haut, et je veux voir ce que les destins font
Chez eux, dans la forêt du mystère profond ;   [souffre.
Car ce qu'ils font chez eux, c'est chez nous qu'on le
Je prétends regarder face à face le gouffre.
Je sais que l'ombre doit rendre compte aux esprits.
Je désire savoir pourquoi l'on nous a pris
Nos villes, notre armée, et notre force utile ;
Et pourquoi l'on filoute et pourquoi l'on mutile

L'immense peuple aimant d'où sortent les clartés ;
Je veux savoir le fond de nos calamités,
Voir le dedans du sort misérable, et connaître
Ces recoins où trop peu de lumière pénètre ;
Pourquoi l'assassinat du Midi par le Nord,
Pourquoi Paris vivant vaincu par Berlin mort,
Pourquoi le bagne à l'ange et le trône au squelette ;
Ô France, je prétends mettre sur la sellette
La guerre, les combats, nos affronts, nos malheurs,
Et je ferai vider leur poche à ces voleurs,
Car juger le hasard, c'est le droit du prophète.
J'affirme que la loi morale n'est pas faite
Pour qu'on souffle dessus là-haut, dans la hauteur,
Et qu'un événement peut être un malfaiteur.
J'avertis l'inconnu que je perds patience ;
Et c'est là la grandeur de notre conscience
Que, seule et triste, ayant pour appui le berceau,
L'innocence, le droit des faibles, le roseau,
Elle est terrible ; elle a, par ce seul mot : Justice,
Entrée au ciel ; et, si la comète au solstice
S'égare, elle pourrait lui montrer son chemin ;
Elle requiert Dieu même au nom du genre humain ;
Elle est la vérité, blanche, pâle, immortelle ;
Pas une force n'est la force devant elle ;
Les lois qu'on ne voit pas penchent de son côté ;
Oui, c'est là la puissance et c'est là la beauté
De notre conscience, — écoute ceci, prêtre, —
Qu'elle ne comprend pas qu'un attentat puisse être
Par quelqu'un qui serait juste, prémédité ;
Oui, sans armes, n'ayant que cette nudité,
Le vrai, quand un éclair tombe mal sur la terre,
Quand un des coups obscurs qui sortent du mystère
Frappe à tâtons, et met les peuples en danger,
S'il lui plaisait d'aller là-haut l'interroger
Au milieu de cette ombre énorme qu'on vénère,
Tranquille, elle ferait bégayer le tonnerre.

II

PERSÉVÉRANCE [47]

N'importe. Allons au but, continuons. Les choses,
Quand l'homme tient la clef, ne sont pas longtemps
                                                [closes.
Peut-être qu'elle-même, ouvrant ses pâles yeux,
La nuit, lasse du mal, ne demande pas mieux
Que de trouver celui qui saura la convaincre.
Le devoir de l'obstacle est de se laisser vaincre.

L'obscurité nous craint et recule en grondant.
Regardons les penseurs de l'âge précédent,
Ces héros, ces géants qu'une même âme anime,
Détachés par la mort de leur travail sublime,
Passer, les pieds poudreux et le front étoilé ;
Saluons la sueur du relais dételé ;
Et marchons. Nous aussi, nous avons notre étape.
Le pied de l'avenir sur notre pavé frappe ;
En route ! Poursuivons le chemin commencé ;
Augmentons l'épaisseur de l'ombre du passé ;
Laissons derrière nous, et le plus loin possible,
Toute l'antique horreur de moins en moins visible.
Déjà le précurseur dans ces brumes brilla ;
Platon vint jusqu'ici, Luther a monté là ;
Voyez, de grands rayons marquent de grands passages ;
L'ombre est pleine partout du flamboiement des sages ;
Voici l'endroit profond où Pascal s'est penché,
Criant : gouffre ! Jean-Jacque où je marche a marché ;
C'est là que, s'envolant lui-même aux cieux, Voltaire,
Se sentant devenir sublime, a perdu terre,
Disant : Je vois ! ainsi qu'un prophète ébloui.
Luttons, comme eux ; luttons, le front épanoui ;
Marchons ! un pas qu'on fait, c'est un champ qu'on
                                                [révèle ;
Déchiffrons dans les temps nouveaux la loi nouvelle ;

Le cœur n'est jamais sourd, l'esprit n'est jamais las,
Et la route est ouverte aux fiers apostolats.

Ô tous ! vivez, marchez, croyez ! soyez tranquilles.
— Mais quoi ! le râle sourd des discordes civiles,
Ces siècles de douleurs, de pleurs, d'adversités,
Hélas ! tous ces souffrants, tous ces déshérités,
Tous ces proscrits, le deuil, la haine universelle,
Tout ce qui dans le fond des âmes s'amoncelle,
Cela ne va-t-il pas éclater tout à coup ?
La colère est partout, la fureur est partout ;
Les cieux sont noirs ; voyez, regardez ; il éclaire ! —
Qu'est-ce que la fureur ? qu'importe la colère ?
La vengeance sera surprise de son fruit ;
Dieu nous transforme ; il a pour tâche en notre nuit
L'auguste avortement de la foudre en aurore.

Dieu prend dans notre cœur la haine et la dévore ;
Il se jette sur nous des profondeurs du jour,
Et nous arrache tout de l'âme, hors l'amour ;
Avec ce bec d'acier, la conscience, il plonge
Jusqu'à notre pensée et jusqu'à notre songe,
Fouille notre poitrine et, quoi que nous fassions,
Jusqu'aux vils intestins qu'on nomme passions ;
Il pille nos instincts mauvais, il nous dépouille
De ce qui nous tourmente et de ce qui nous souille ;
Et, quand il nous a faits pareils au ciel béni,
Bons et purs, il s'envole, et rentre à l'infini ;
Et, lorsqu'il a passé sur nous, l'âme plus grande
Sent qu'elle ne hait plus, et rend grâce, et demande :
Qui donc m'a prise ainsi dans ses serres de feu ?
Et croit que c'est un aigle, et comprend que c'est Dieu.

III

PROGRÈS

En avant, grande marche humaine !
Peuple, change de région.

Ô larve, deviens phénomène ;
Ô troupeau, deviens légion.
Cours, aigle, où tu vois l'aube éclore.
L'acceptation de l'aurore
N'est interdite qu'aux hiboux.
Dans le soleil Dieu se devine ;
Le rayon a l'âme divine
Et l'âme humaine à ses deux bouts.

Il vient de l'une et vole à l'autre ;
Il est pensée, étant clarté ;
En haut archange, en bas apôtre,
En haut flamme, en bas liberté.
Il crée Horace ainsi que Dante,
Dore la rose au vent pendante,
Et le chaos où nous voguons ;
De la même émeraude il touche
L'humble plume de l'oiseau-mouche
Et l'âpre écaille des dragons[48].
Prenez les routes lumineuses,
Prenez les chemins étoilés.
Esprits semeurs, âmes glaneuses,
Allez, allez, allez, allez !
Esclaves d'hier, tristes hommes,
Hors des bagnes, hors des sodomes,
Marchez, soyez vaillants, montez ;
Ayez pour triomphe la gloire
Où vous entrez, ô foule noire,
Et l'opprobre dont vous sortez !

Homme, franchis les mers. Secoue
Dans l'écume tout le passé ;
Allume en étoupe à ta proue
Le chanvre du gibet brisé.
Gravis les montagnes. Écrase
Tous les vieux monstres dans la vase ;
Ressemble aux anciens Apollons ;
Quand l'épée est juste, elle est pure ;
Va donc ! car l'homme a pour parure
Le sang de l'hydre à ses talons.

IV

FRATERNITÉ

Je rêve l'équité, la vérité profonde,
L'amour qui veut, l'espoir qui luit, la foi qui fonde,
Et le peuple éclairé plutôt que châtié.
Je rêve la douceur, la bonté, la pitié,
Et le vaste pardon. De là ma solitude.

*

La vieille barbarie humaine a l'habitude
De s'absoudre, et de croire, hélas, que ce qu'on veut,
Prêtre ou juge, on a droit de le faire, et qu'on peut
Ôter sa conscience en mettant une robe.
Elle prend l'équité céleste, elle y dérobe
Ce qui la gêne, y met ce qui lui plaît ; biffant
Tout ce qu'on doit au faible, à la femme, à l'enfant,
Elle change le chiffre, elle change la somme,
Et du droit selon Dieu fait la loi selon l'homme.
De là les hommes-dieux, de là les rois-soleils ;
De là sur les pavés tant de ruisseaux vermeils ;
De là les Laffemas, les Vouglans, les Bâvilles ;
De là l'effroi des champs et la terreur des villes,
Les lapidations, les deuils, les cruautés,
Et le front sérieux des sages insultés.

*

Jésus paraît ; qui donc s'écrie : Il faut qu'il meure !
C'est le prêtre. Ô douleur ! À jamais, à demeure,
Et quoi que nous disions, et quoi que nous songions,
Les euménides sont dans les religions ;
Mégère est catholique ; Alecton est chrétienne ;
Clotho, nonne sanglante, accompagnait l'antienne
D'Arbuez, et l'on entend dans l'église sa voix ;

Ces bacchantes du meurtre encourageaient Louvois
Et les monts étaient pleins du cri de ces ménades
Quand Bossuet poussait Boufflers aux dragonnades.

*

Ne vous figurez pas, si Dieu lui-même accourt,
Que l'antique fureur de l'homme reste court,
Et recule devant la lumière céleste.
Au plus pur vent d'en haut elle mêle sa peste,
Elle mêle sa rage aux plus doux chants d'amour,
S'enfuit avec la nuit, mais rentre avec le jour.
Le progrès le plus vrai, le plus beau, le plus sage,
Le plus juste, subit son monstrueux passage.
L'aube ne peut chasser l'affreux spectre importun.
Cromwell frappe un tyran, Charles ; il en reste un,
Cromwell. L'atroce meurt, l'atrocité subsiste.
Le bon sens, souriant et sévère exorciste,
Attaque ce vampire et n'en a pas raison.
Comme une sombre aïeule habitant la maison,
La barbarie a fait de nos cœurs ses repaires,
Et tient les fils après avoir tenu les pères.
L'idéal un jour naît sur l'ancien continent,
Tout un peuple ébloui se lève rayonnant,
Le quatorze juillet jette au vent les bastilles,
Les révolutions, ô Liberté, tes filles,
Se dressent sur les monts et sur les océans,
Et gagnent la bataille énorme des géants,
Toute la terre assiste à la fuite inouïe
Du passé, néant, nuit, larve, ombre évanouie !
L'inepte barbarie attente à ce laurier,
Et perd Torquemada, mais retrouve Carrier.
Elle se trouble peu de toute cette aurore.
La vaste ruche humaine, éveillée et sonore,
S'envole dans l'azur, travaille aux jours meilleurs,
Chante, et fait tous les miels avec toutes les fleurs ;
La vieille âme du vieux Caïn, l'antique Haine
Est là, voit notre éden et songe à sa géhennne,
Ne veut pas s'interrompre et ne veut pas finir,
Rattache au vil passé l'éclatant avenir,

Et remplace, s'il manque un chaînon à sa chaîne,
Le père Letellier par le Père Duchêne ;
De sorte que Satan peut, avec les maudits,
Rire de notre essai manqué de paradis.
Eh bien, moi, je dis : Non ! tu n'es pas en démence,
Mon cœur, pour vouloir l'homme indulgent, bon,
                                                [immense ;
Pour crier : Sois clément ! sois clément ! sois clément !
Et parce que ta voix n'a pas d'autre enrouement !

*

Tu n'es pas furieux parce que tu souhaites [chouettes ;
Plus d'aube au cygne et moins de nuit pour les
Parce que tu gémis sur tous les opprimés ;
Non, ce n'est pas un fou celui qui dit : Aimez !
Non, ce n'est pas errer et rêver que de croire
Que l'homme ne naît point avec une âme noire,
Que le bon est latent dans le pire, et qu'au fond
Peu de fautes vraiment sont de ceux qui les font.
L'homme est au mal ce qu'est à l'air le baromètre ;
Il marque les degrés du froid, sans rien omettre,
Mais sans rien ajouter, et, s'il monte ou descend,
Hélas ! la faute en est au vent, ce noir passant.
L'homme est le vain drapeau d'un sinistre édifice ;
Tout souffle qui frémit, flotte, serpente, glisse
Et passe, il le subit, et le pardon est dû
À ce haillon vivant dans les cieux éperdu.
Hommes, pardonnez-vous. Ô mes frères, vous êtes
Dans le vent, dans le gouffre obscur, dans les tempêtes ;
Pardonnez-vous. Les cœurs saignent, les ans sont
                                                [courts ;
Ah ! donnez-vous les uns aux autres ce secours !
Oui, même quand j'ai fait le mal, quand je trébuche
Et tombe, l'ombre étant la cause de l'embûche,
La nuit faisant l'erreur, l'hiver faisant le froid,
Être absous, pardonné, plaint, aimé, c'est mon droit.

Un jour, je vis passer une femme inconnue.
Cette femme semblait descendre de la nue ;

Elle avait sur le dos des ailes, et du miel
Sur sa bouche entr'ouverte, et dans ses yeux le ciel.
À des voyageurs las, à des errants sans nombre,
Elle montrait du doigt une route dans l'ombre,
Et semblait dire : On peut se tromper de chemin.
Son regard faisait grâce à tout le genre humain ;
Elle était radieuse et douce ; et, derrière elle,
Des monstres attendris venaient, baisant son aile,
Des lions graciés, des tigres repentants,
Nemrod sauvé, Néron en pleurs ; et par instants
À force d'être bonne elle paraissait folle.
Et, tombant à genoux, sans dire une parole,
Je l'adorai, croyant deviner qui c'était.
Mais elle, — devant l'ange en vain l'homme se tait, —
Vit ma pensée, et dit : Faut-il qu'on t'avertisse ?
Tu me crois la pitié ; fils, je suis la justice.

V

L'ÂME À LA POURSUITE DU VRAI [49]

I

Je m'en irai dans les chars sombres
Du songe et de la vision ;
Dans la blême cité des ombres
Je passerai comme un rayon ;
J'entendrai leurs vagues huées ;
Je semblerai dans les nuées
Le grand échevelé de l'air ;
J'aurai sous mes pieds le vertige,
Et dans les yeux plus de prodige
Que le météore et l'éclair.

Je rentrerai dans ma demeure,
Dans le noir monde illimité.
Jetant à l'éternité l'heure
Et la terre à l'immensité,

Repoussant du pied nos misères,
Je prendrai le vrai dans mes serres
Et je me transfigurerai,
Et l'on ne verra plus qu'à peine
Un reste de lueur humaine
Trembler sous mon sourcil sacré.

Car je ne serai plus un homme ;
Je serai l'esprit ébloui
À qui le sépulcre se nomme,
À qui l'énigme répond : Oui.
L'ombre aura beau se faire horrible ;
Je m'épanouirai terrible,
Comme Élie à Gethsémani,
Comme le vieux Thalès de Grèce,
Dans la formidable allégresse
De l'abîme et de l'infini.

Je questionnerai le gouffre
Sur le secret universel,
Et le volcan, l'urne de soufre,
Et l'océan, l'urne de sel ;
Tout ce que les profondeurs savent,
Tout ce que les tourmentes lavent,
Je sonderai tout ; et j'irai
Jusqu'à ce que, dans les ténèbres,
Je heurte mes ailes funèbres
À quelqu'un de démesuré.

Parfois m'envolant jusqu'au faîte,
Parfois tombant de tout mon poids,
J'entendrai crier sur ma tête
Tous les cris de l'ombre à la fois,
Tous les noirs oiseaux de l'abîme,
L'orage, la foudre sublime,
L'âpre aquilon séditieux,
Tous les effrois qui, pêle-mêle,
Tourbillonnent, battant de l'aile,
Dans le précipice des cieux.

La Nuit pâle, immense fantôme
Dans l'espace insondable épars,
Du haut du redoutable dôme,
Se penchera de toutes parts ;
Je la verrai lugubre et vaine,
Telle que la vit Antisthène
Qui demandait aux vents : Pourquoi ?
Telle que la vit Épicure,
Avec des plis de robe obscure
Flottant dans l'ombre autour de moi.

— Homme ! la démence t'emporte,
Dira le nuage irrité.
— Prends-tu la nuit pour une porte ?
Murmurera l'obscurité.
L'espace dira : — Qui t'égare ?
Passeras-tu, barde, où Pindare
Et David ne sont point passés ?
— C'est ici, criera la tempête,
Qu'Hésiode a dit : Je m'arrête !
Qu'Ézéchiel a dit : Assez !

Mais tous les efforts des ténèbres
Sur mon essor s'épuiseront
Sans faire fléchir mes vertèbres
Et sans faire pâlir mon front ;
Au sphinx, au prodige, au problème,
J'apparaîtrai, monstre moi-même,
Être pour deux destins construit,
Ayant, dans la céleste sphère,
Trop de l'homme pour la lumière,
Et trop de l'ange pour la nuit.

II

L'ombre dit au poète : — Imite
Ceux que retient l'effroi divin ;
N'enfreins pas l'étrange limite

Que nul n'a violée en vain ;
Ne franchis pas l'obscure grève
Où la nuit, la tombe et le rêve
Mêlent leurs souffles inouïs,
Où l'abîme sans fond, sans forme,
Rapporte dans sa houle énorme
Les prophètes évanouis.

Tous les essais que tu peux faire
Sont inutiles et perdus.
Prends un culte ; choisis ; préfère ;
Tes vœux ne sont pas entendus ;
Jamais le mystère ne s'ouvre ;
La tranquille immensité couvre
Celui qui devant Dieu s'enfuit
Et celui qui vers Dieu s'élance
D'une égalité de silence
Et d'une égalité de nuit.

Va sur l'Olympe où Stésichore,
Cherchant Jupiter, le trouva ;
Va sur l'Horeb qui fume encore
Du passage de Jéhovah ;
Ô songeur, ce sont là des cimes,
De grands buts, des courses sublimes...
On en revient désespéré,
Honteux, au fond de l'ombre noire,
D'avoir abdiqué jusqu'à croire !
Indigné d'avoir adoré !

L'Olympien est de la brume ;
Le Sinaïque est de la nuit.
Nulle part l'astre ne s'allume,
Nulle part l'ombre ne bleuit.
Que l'homme vive et s'en contente ;
Qu'il reste l'homme ; qu'il ne tente
Ni l'obscurité, ni l'éther ;
Sa flamme à la fange est unie,
L'homme est pour le ciel un génie,
Mais l'homme est pour la terre un ver.

L'homme a Dante, Shakspeare, Homère ;
Ses arts sont un trépied fumant ;
Mais prétend-il de sa chimère
Illuminer le firmanent ?
C'est toujours quelque ancienne idée
De l'Élide ou de la Chaldée
Que l'âge nouveau rajeunit.
Parce que tu luis dans ta sphère,
Esprit humain, crois-tu donc faire
De la flamme jusqu'au Zénith !

Après Socrate et le Portique,
Sans t'en douter, tu mets le feu
Á la même chimère antique
Dont l'Inde ou Rome ont fait un dieu ;
Comme cet Éson de la fable,
Tu retrempes dans l'ineffable,
Dans l'absolu, dans l'infini,
Quelque Ammon d'Égypte ou de Grèce,
Ce qu'avant toi maudit Lucrèce,
Ce qu'avant toi Job a béni.

Tu prends quelque être imaginaire,
Vieux songe de l'humanité,
Et tu lui donnes le tonnerre,
L'auréole, l'éternité.
Tu le fais, tu le renouvelles ;
Puis, tremblant, tu te le révèles,
Et tu frémis en le créant ;
Et, lui prêtant vie, abondance,
Sagesse, bonté, providence,
Tu te chauffes à ce néant !

Sous quelque mythe qu'il s'enferme,
Songeur, il n'est point de Baal
Qui ne contienne en lui le germe
D'un éblouissant idéal ;
De même qu'il n'est pas d'épine,
Pas d'arbre mort dans la ruine,

Pas d'impur chardon dans l'égout,
Qui, si l'étincelle le touche,
Ne puisse, dans l'âtre farouche,
Faire une aurore tout à coup !

Vois dans les forêts la broussaille,
Culture abjecte du hasard ;
Déguenillée, elle tressaille
Au glissement froid du lézard ;
Jette un charbon, ce houx sordide
Va s'épanouir plus splendide
Que la tunique d'or des rois ;
L'éclair sort de la ronce infâme ;
Toutes les pourpres de la flamme
Dorment dans ce haillon des bois.

Comme un enfant qui s'émerveille
De tirer, à travers son jeu,
Une splendeur gaie et vermeille
Du vil sarment qu'il jette au feu,
Tu concentres toute la flamme
De ce que peut rêver ton âme
Sur le premier venu des dieux,
Puis tu t'étonnes, ô poussière,
De voir sortir une lumière
De cet Irmensul monstrueux.

À la vague étincelle obscure
Que tu tires d'un Dieu pervers,
Tu crois raviver la nature,
Tu crois réchauffer l'univers ;
Ô nain, ton orgueil s'imagine
Avoir retrouvé l'origine,
Que tous vont s'aimer désormais,
Qu'on va vaincre les nuits immondes,
Et tu dis : La lueur des mondes
Va flamboyer sur les sommets !

Tu crois voir une aube agrandie
S'élargir sous le firmament

Parce que ton rêve incendie
Un Dieu, qui rayonne un moment.
Non. Tout est froid. L'horreur t'enlace.
Tout est l'affreux temple de glace,
Morne à Delphes, sombre à Béthel.
Tu fais à peine, esprit frivole,
En brûlant le bois de l'idole,
Tiédir la pierre de l'autel.

III

Je laisse ces paroles sombres
Passer sur moi sans m'émouvoir
Comme on laisse dans les décombres
Frissonner les branches le soir ;
J'irai, moi le curieux triste ;
J'ai la volonté qui persiste ;
L'énigme traître a beau gronder ;
Je serai, dans les brumes louches,
Dans les crépuscules farouches,
La face qui vient regarder.

Vie et mort ! ô gouffre ! Est-ce un piège
La fleur qui s'ouvre et se flétrit,
L'atome qui se désagrège,
Le néant qui se repétrit ?
Quoi ! rien ne marche ! rien n'avance !
Pas de moi ! Pas de survivance !
Pas de lien ! Pas d'avenir !
C'est pour rien, ô tombes ouvertes,
Qu'on entend vers les découvertes
Les chevaux du rêve hennir !

Est-ce que la nature enferme
Pour des avortements bâtards
L'élément, l'atome, le germe,

Dans le cercle des avatars ?
Que serait donc ce monde immense,
S'il n'avait pas la conscience
Pour lumière et pour attribut ?
Épouvantable échelle noire
De renaissances sans mémoire
Dans une ascension sans but !

La larve du spectre suivie,
Ce serait tout ! Quoi donc ! ô sort,
J'aurais un devoir dans la vie
Sans avoir un droit dans la mort !
Depuis la pierre jusqu'à l'ange,
Qu'est-ce alors que ce vain mélange
D'êtres dans l'obscur tourbillon ?
L'aube est-elle sincère ou fausse ?
Naître, est-ce vivre ? En quoi la fosse
Diffère-t-elle du sillon ?

— Mange le pain, je mange l'homme,
Dit Tibère. A-t-il donc raison ?
Satan la femme, Ève la pomme,
Est-ce donc la même moisson ?
Nemrod souffle comme la bise ;
Gengis le sabre au poing, Cambyse
Avec un flot d'hommes démons,
Tue, extermine, écrase, opprime,
Et ne commet pas plus de crime
Qu'un roc roulant du haut des monts !

Oh non ! la vie au noir registre,
Parmi le genre humain troublé,
Passe, inexplicable et sinistre,
Ainsi qu'un espion voilé ;
Grands et petits, les fous, les sages,
S'en vont, nommés dans les messages
Qu'elle jette au ciel triste ou bleu ;
Malheur aux méchants ! et la tombe
Est la bouche de bronze où tombe
Tout ce qu'elle dénonce à Dieu.

— Mais ce Dieu même, je le nie ;
Car il aurait, ô vain croyant,
Créé sa propre calomnie
En créant ce monde effrayant. —
Ainsi parle, calme et funèbre,
Le doute appuyé sur l'algèbre ;
Et moi qui sens frémir mes os,
Allant des langes aux suaires,
Je regarde les ossuaires
Et je regarde les berceaux.

Mort et vie ! énigmes austères !
Dessous est la réalité.
C'est là que les Kants, les Voltaires,
Les Euclides ont hésité.
Eh bien ! j'irai, moi qui contemple,
Jusqu'à ce que, perçant le temple,
Et le dogme, ce double mur,
Mon esprit découvre et dévoile
Derrière Jupiter l'étoile,
Derrière Jéhovah l'azur !

Car il faut qu'enfin on rencontre
L'indestructible vérité,
Et qu'un front de splendeur se montre
Sous ces masques d'obscurité ;
La nuit tâche, en sa noire envie,
D'étouffer le germe de vie,
De toute-puissance et de jour,
Mais moi, le croyant de l'aurore,
Je forcerai bien Dieu d'éclore
Á force de joie et d'amour !

Est-ce que vous croyez que l'ombre
A quelque chose à refuser
Au dompteur du temps et du nombre,
À celui qui veut tout oser,
Au poète qu'emporte l'âme,
Qui combat dans leur culte infâme

Les payens comme les hébreux,
Et qui, la tête la première,
Plonge, éperdu, dans la lumière,
À travers leur dieu ténébreux !

ANNEXES

ANNEXES

I. AUTOUR DE « L'ART
D'ÊTRE GRAND-PÈRE »

Un monument romain dans ce vieux pré normand
Est tombé. Les enfants qui font un bruit charmant
Vont jouer là, vers l'heure où le soleil se montre,
Et quand on va du Havre à Dieppe on le rencontre.
Quelque pâtre accroupi sur le bord du chemin
Vous y mène, ou vous suit en vous tendant la main.
Le hameau voisin mêle aux branches ses fumées,
Et l'on entend les coqs chanter dans les ramées.
C'est là, vous dit le pâtre, et vous ne voyez rien.
Des pierres, des buissons. — Mais, en regardant bien,
Si l'on se penche un peu, l'on distingue, dans l'herbe
Où prairial rayonne sa gaîté superbe,
D'anciens frontons sculptés, bas-reliefs triomphaux,
Monstres chargés de tours et chars ornés de faux,
Des soldats, qui, sans nuire au vol des hirondelles,
Assiègent sous les fleurs de vagues citadelles ;
Et l'on voit, sous les joncs comme sous un linceul,
Le grand César rêvant dans la nuit, triste et seul,
Les daces, noirs profils pleins d'injure et de haine,
L'ombre, et je ne sais quoi qui fut l'aigle romaine.

16 avril 1847[50]

LETTRE[51]

La Champagne est fort laide où je suis ; mais qu'importe,
J'ai de l'air, un peu d'herbe, une vigne à ma porte ;
D'ailleurs, je ne suis pas ici pour bien longtemps.
N'ayant pas mes petits près de moi, je prétends
Avoir droit à la fuite, et j'y songe à toute heure.

Et tous les jours je veux partir, et je demeure.
L'homme est ainsi. Parfois tout s'efface à mes yeux
Sous la mauvaise humeur du nuage ennuyeux ;
Il pleut ; triste pays. Moins de blé que d'ivraie.
Bientôt j'irai chercher la solitude vraie,
Où sont les fiers écueils, sombres, jamais vaincus,
La mer. En attendant, comme Horace à Fuscus,
Je t'envoie, ami cher, les paroles civiles
Que doit l'hôte des champs à l'habitant des villes ;
Tu songes au milieu des tumultes hagards ;
Et je salue avec toutes sortes d'égards,
Moi qui vois les fourmis, toi qui vois les pygmées.

Parce que vous avez la forge aux renommées,
Aux vacarmes, aux faits tapageurs et soudains,
Ne croyez pas qu'à Bray-sur-Marne, ô citadins,
On soit des paysans au point d'être des brutes ;
Non, on danse, on se cherche au bois, on fait des chutes ;
On s'aime ; on est toujours Estelle et Némorin ;
Simone et Gros Thomas sautent au tambourin ;
Et les grands vieux parents grondent quand le dimanche
Les filles vont tirer les garçons par la manche ;
Le presbytère est là qui garde le troupeau ;
Parfois j'entre à l'église et j'ôte mon chapeau
Quand monsieur le curé foudroie en pleine chaire
L'idylle d'un bouvier avec une vachère.

Mais je suis indulgent plus que lui ; le ciel bleu,
Diable ! et le doux printemps, tout cela trouble un peu ;
Et les petits oiseaux, quel détestable exemple !
Le jeune mois de mai, c'est toujours le vieux temple
Où, doucement raillés par les merles siffleurs,
Les gens qui s'aiment vont s'adorer dans les fleurs ;
Jadis c'était Phyllis, aujourd'hui c'est Javotte,
Mais c'est toujours la femme au mois de mai dévote.
Moi, je suis spectateur, et je pardonne, ayant
L'âme très débonnaire et l'air très effrayant ;
Car j'inquiète fort le village. On me nomme
Le sorcier ; on m'évite ; ils disent : C'est un homme
Qu'on entend parler haut dans sa chambre, le soir.
Or on ne parle seul qu'avec quelqu'un de noir.
C'est pourquoi je fais peur. La maison que j'habite,
Grotte dont j'ai fait choix pour être cénobite,
C'est l'auberge ; on y boit dans la salle d'en bas ;
Les filles du pays viennent, ôtent leurs bas,
Et salissent leurs pieds dans la mare voisine.
La soupe aux choux, c'est là toute notre cuisine ;
Un lit et quatre murs, c'est là tout mon logis.
Je vis ; les champs le soir sont largement rougis ;
L'espace est, le matin, confusément sonore ;

L'angélus se répand dans le ciel dès l'aurore,
Et j'ai le bercement des cloches en dormant.
Poésie : un roulier avec un jurement ;
Des poules becquetant un vieux mur en décombre ;
De lointains aboiements dialoguant dans l'ombre ;
Parfois un vol d'oiseaux sauvages émigrant.
C'est petit, car c'est laid, et le beau seul est grand.
Cette campagne où l'aube à regret semble naître,
M'offre à perte de vue au loin sous ma fenêtre
Rien, la route, un sol âpre, usé, morne, inclément.
Quelques arbres sont là ; j'écoute vaguement
Les conversations du vent avec les branches ;
La plaine brune alterne avec les plaines blanches ;
Pas un coteau, des prés maigres, peu de gazon ;
Et j'ai pour tout plaisir de voir à l'horizon
Un groupe de toits bas d'où sort une fumée,
Le paysage étant plat comme Mérimée.

[1874 ?]

Ô RUS[52] !

Laissons les hommes noirs bâcler dans leur étable
Des lois qui vont nous faire un bien épouvantable.
     Allons-nous-en aux bois ;
Allons-nous-en chez Dieu, dans les prés où l'on aime,
Près des lacs où l'on rêve, et ne sachons pas même
     Si des gens font des lois !
Oh ! quand on peut s'enfuir aux champs, dans le grand songe,
Dans les fleurs, sous les cieux, les hommes de mensonge,
     Prêtres, despotes, rois,
Comme c'est peu de chose ! et comme ces maroufles
Sont des fantômes vite effacés dans les souffles,
     Les rayons et les voix !
Laissons-les s'acharner à leur folle aventure.
Enfants, allons-nous-en là-haut, dans la nature.
     Mai dore le ravin,
Tout rit, les papillons et leur douce poursuite
Passent, l'arbre est en fleur ; venez, prenons la fuite
     Dans cet oubli divin.
L'évanouissement des soucis de la terre
Est là ; les champs sont purs ; là souriait Voltaire,
     Là songeait Diderot ;
On se sent rassuré par les parfums ; les roses
Nous consolent, étant ignorantes des choses
     Que l'homme connaît trop.

Là rien ne s'interrompt, rien ne finit d'éclore ;
Le rosier respiré par Ève embaume encore
      Nos deuils et nos amours ;
Et la pervenche est plus éternelle que Rome ;
Car ce qui dure peu, monts et forêts, c'est l'homme ;
      Les fleurs durent toujours.
La Pyramide après trois mille ans est ridée,
Le lys n'a pas un pli, ni la fleur, ni l'idée,
      Ni le vrai, ni le beau,
N'expirent ; Dieu refait sans cesse leur jeunesse ;
La mort, c'est l'aube, et c'est afin que tout renaisse
      Que Dieu fit le tombeau.
Ô splendeur ! ô douceur ! l'étendue infinie
Est un balancement d'amour et d'harmonie ;
      Contemplons à genoux ;
Une voix sort du ciel et dans nos fibres passe ;
De là nos chants profonds ; le rythme est dans l'espace
      Et la lyre est en nous.
Venez, tous mes enfants, tous mes amis ! les plaines,
Les lacs, les bois n'ont point de perfides haleines
      Et de haineux reflux ;
Venez ; soyons un groupe errant dans la prairie,
Qui va dans l'ombre avec des mots de rêverie,
      Et ne sait même plus,
Tant il sent vivre en lui la nature immortelle,
Si la chambre a quitté Pantin pour Bagatelle,
      Versailles pour Saint-Cloud,
Et si le pape enfin daigne rougir la jupe
Du prêtre dont le nom commence comme dupe
      Et finit comme loup.

                            27 mai 1875.

COUR D'AMOUR[53]

La chose est dédiée aux vieillards de l'orchestre.
Regardez. L'empereur au fond, statue équestre ;
Et sur le premier plan des femmes au sein nu,
Des rondeurs, des blancheurs, Mérimée ingénu.
Voici le cotillon avec ses castagnettes ;
On saute, à votre manche essuyez vos lorgnettes.
Maintenant écoutons les questions, faut-il
Être en amour robuste ou simplement subtil ?

Pétrarque est bien, Hercule est mieux. Est-il licite
Que la voix fronde alors que le regard excite ?
Et n'est-il point des cas où l'état veut qu'enfin

La reine sans le roi puisse faire un dauphin ?
Mortels, la gaudriole ici rend des oracles.

Est-ce la cour d'amour ou la cour des miracles ?
Pour Mérimée amour, miracles pour Veuillot.
Aimez-vous la guenille ? aimez-vous le maillot ?
Choisissez de cette âme ou de cette danseuse.
Prenez l'affreux Troplong ou la belle Fosseuse.
Allez du sénateur à la houri. Payez
Et prenez, les appas ne sont point effrayés,
Les consciences sont prêtes au doux sourire.
Que faut-il faire ? boire ? être aimable ? proscrire ?
Parlez, sire, on fera tout ce qui vous plaira.
On a tout, le budget, l'église, l'opéra,
Et si le peuple bouge, on est sûr de la troupe.
Jours exquis ! tableaux purs ! on fraternise, on soupe ;
Viveurs et meurtriers ; que peut-on voir de mieux
Que les Laubardemont dans le sein des Romieux ?
Tous ces sénateurs-là sont les mêmes que Rome
Vénéra sous Tacite, et Tibère se nomme
Bonaparte, et cet aigle était jadis vautour
Chez Néron, et l'on a de plus les cours d'amour.
Cythère et Lambessa. Clara Gazul rédige.

Vieille muse Clio, n'est-ce pas un prodige
Que ce bandit se lave avec l'ambre et le nard,
Et que ce Trestaillon soit un Gentil-Bernard ?
Admirons. Cupidon dans le cerveau lui trotte.
Cacus devient Tircis ; l'antre se change en grotte ;
Et le petit fripon succède au vaste escroc ;
Et la bouche en cœur s'offre à la moustache en croc.
Rédige, ô Mérimée !

                              Il est sûr qu'Amathonte,
Paphos où la pudeur manque, où règne la honte,
Compiègne, cet éden où rampe un faux serment,
Sont des lieux enchanteurs sous le bleu firmament.
Mais l'été, même à l'ombre, il fait chaud quand on danse.
Les femmes laissent voir une vague tendance
À dépouiller l'excès des voiles, ô Vénus !
Comme on était heureux au temps des dieux tout nus !
On voudrait voir Dupin ôter sa robe noire.
Nisard plairait, vêtu seulement de sa gloire ;
Quel dommage qu'on soit forcé d'être décent !
Qu'il fait chaud ! la fleur penche et l'arbre est languissant ;
Lebœuf souffle, Bazaine a quitté ses insignes.
L'eau fraîche invite, et l'onde où s'ébattent les cygnes
Donne à la cour d'amour l'exemple de ces jeux
Pleins de tendres coups d'aile et gaîment orageux ;
C'est une églogue avec toutes ses variantes ;

Disputes et baisers, les femmes souriantes
S'écartent, et s'en vont vers le bois doucement.
Si l'on prenait un bain en plein air ? c'est charmant.
Le lac brille dans l'ombre. À travers la ramée
La naïade et le faune observent Mérimée
Qui guette, espérant voir aux flots se confier
Les blanches nudités dont il est le greffier.
Mais non, allez-vous-en, messieurs. Laissez ces dames
Tranquilles... — ô soupirs ! duos ! épithalames !
Idylle !

            Ainsi l'empire aima, régna, brilla.
En attendant Sedan on contemplait cela.

Pour moi je ne hais point ces spectacles ; j'estime
Qu'il est indispensable et qu'il est légitime
Qu'on ai tous les bonheurs possibles, des palais,
De l'or, des Tedeums, le hurrah des anglais,
Le baiser de madame Albion sur sa lèvre,
Dans sa cour Sainte-Beuve, esprit aux pieds de chèvre,
Les Grâces, les Amours, les Ris, joyeux essaim,
Alors qu'on a tant fait que d'être un assassin.
Sinon, cela vraiment n'en vaudrait pas la peine.
Oui, je donne à César tout, l'absoute romaine,
Les évêques, la rose entr'ouvrant son bouton,
Le menton de Javotte et l'exil de Caton.
La cour d'amour me plaît. C'est de la fange intime.
Un peu de fleur ne peut nuire à beaucoup de crime.
Phryné complète Fould, Morny, Magnan, Vaillant.
Myrtes et coups d'état, quand, d'un œil bienveillant,
J'examine la fauve et sinistre caverne
Où le sang fume, où tremble un reflet de l'Averne,
Où le massacre avec la fraude se confond,
J'aime cette guirlande accrochée au plafond.

                                        23 août 1875.

TOUTE LA VIE D'UN CŒUR[54]

1817
ADOLESCENCE

J'allais au Luxembourg rêver, ô temps lointain,
Dès l'aurore, et j'étais moi-même le matin.
Les nids dialoguaient tout bas, et les allées,
Désertes, étaient d'ombre et de soleil mêlées ;
J'étais pensif, j'étais profond, j'étais niais,
Comme je regardais, et comme j'épiais !

Qui ? La Vénus, l'Hébé, la nymphe chasseresse.
Je sentais du printemps l'invisible caresse.
Je guettais l'inconnu. J'errais. Quel curieux
Que Chérubin en qui s'éveille Des Grieux !
Ô femme ! mystère ! être ignoré qu'on encense !
Parfois j'étais obscène à force d'innocence.
Mon regard violait la vague nudité
Des déesses, debout sous les feuilles l'été ;
Je contemplais de loin ces rondeurs peu vêtues,
Et j'étais amoureux de toutes les statues ;
Et j'en ai mis plus d'une en colère, je crois.
Les audaces dans l'ombre égalent les effrois,
Et, hardi comme un page et tremblant comme un lièvre,
Oubliant latin, grec, algèbre, ayant la fièvre
Qui résiste aux Bezouts et brave les Restauds,
Je restais là stupide au bas des piédestaux,
Comme si j'attendais que le vent sous quelque arbre
Soulevât les jupons d'une Diane en marbre.

10 septembre 1873.
Sur l'impériale d'un omnibus.

1820

Printemps. Mai le décrète, et c'est officiel.
L'amour, cet enfer bleu très ressemblant au ciel,
Emplit l'azur, les champs, les prés, les fleurs, les herbes ;
Dans les hautes forêts lascives et superbes
L'innocente nature épanouit son cœur
Simple, immense, insulté par le merle moqueur.
La volonté d'aimer règne, surnaturelle,
Partout. — Comme on s'adore et comme on se querelle !
Les papillons, lâchés dans le bois ingénu,
Font avec le premier bouton de fleur venu
Des infidélités aux roses, leurs amantes ;
On entend murmurer les colères charmantes.
Et tous les grands courroux des belles s'apaiser
Dans le chuchotement auguste du baiser.
Ô but profond des cieux, la vie universelle !
Comme, afin que tout soit solide, tout chancelle !
Comme tout cède afin que tout dure ! ô rayons !
L'idylle en souriant dit au gouffre : Essayons !
Et le gouffre obéit, et la mer sombre adore.
Le germe éclôt, le nid chante, l'azur se dore ;
L'éternelle indulgence au fond du firmament
Rêve ; et les doux fichus s'envolent vaguement.

10 avril 1875.

1833

A J...

Puisque le gai printemps revient danser et rire,
Puisque le doux Horace et que le doux Zéphyre
M'attendent au milieu des prés et des buissons,
L'un avec des parfums, l'autre avec des chansons,
Puisque la terre en fleurs semble un tapis de Perse,
Puisque le vent murmure et dans l'azur disperse
La brume et la nuée en flottants archipels,
Il me plaît de répondre à ces profonds appels,
Il me plaît de rôder dans les molles prairies,
Entraînant avec moi l'essaim des rêveries
Et la strophe qui vole au-dessus de mon front ;
Tant que sous le ciel bleu les âmes aimeront,
Tant qu'avril, ce brodeur, avec l'herbe et les roses
Et les feuilles, créera toutes sortes de choses
Charmantes, et que Dieu, des monts, des airs, des eaux,
Fera de grands palais pour les petits oiseaux,
Tant que l'aube éclora dans cette ombre où nous sommes,
Les songes tourneront sur la tête des hommes,
Et les penseurs seront attendris dans les bois.
Les frais halliers sont pleins de pudeurs aux abois.
Femmes, oiseaux, tout cède et les baisers se mêlent,
Les adorations vaguement se querellent,
L'eau soupire, le lys s'ouvre, le firmament
Rayonne, et, si tu veux, je serai ton amant.

4 mai [1874-1875]

1835

PROMENADE

Je t'adore. Soyons deux heureux. Viens t'asseoir
Dans une ombre qui soit un peu semblable au soir.
Marchons bien doucement. Sois pensive. Sois lasse.
Profitons du moment où personne ne passe ;
Entrons dans le hallier, cachés par les blés mûrs.

Que ne puis-je élever brusquement quatre murs
Ici, dans ce coin chaste, et d'un coup de baguette !
La nature est un œil invisible qui guette ;
Glissons-nous ; le silence entend ; défions-nous
Du bruit que fait une âme embrassant deux genoux,

Car, moi, je ne suis pas autre chose qu'une âme ;
Mais une âme peut prendre en sa serre une femme,
Et l'emporter, et faire un bruit mystérieux
De lionne sur terre ou d'aigle dans les cieux.

Tu grondes. — Un baiser ! — Jamais ! — Je le dérobe.
Tu dis : c'est mal ! Et j'ôte une épingle à ta robe ;
L'amour aime les yeux fâchés de la pudeur,
Et rien n'est plus charmant qu'un paradis boudeur.
C'est vrai, belle, depuis que les blanches épaules
De Galatée ont pris la fuite sous les saules,
Et que Marot a vu, sans être trop puni,
Un doux sourire faire éclore un doux nenni,
Une gloire ineffable est à l'amour mêlée.
La femme est de son trop de puissance accablée ;
Vaincue, elle se sait maîtresse ; elle nous plaît,
Comme c'est ravissant d'avoir ce qu'on voulait,
Et de sentir beaucoup de reproches se taire !
Comme une rougeur vague après l'heureux mystère
Enivre, et comme on sent le prix d'une faveur
Que veut presque reprendre un silence rêveur !
Reprendre ? Non ; pourquoi ? Donner encor ? Peut-être.

Cachons-nous. Une branche a remué. C'est traître.
On devinait qu'Eschyle avait un rendez-vous
Avec Mégaryllis, la farouche aux yeux doux,
Et qu'elle se laissait dire de tendres choses,
Quand les feuilles tremblaient au bois des lauriers-roses.

                                              12 juillet 1874.

                        1840

                        MAI

Je ne laisserai pas se faner les pervenches
Sans aller écouter ce qu'on dit sous les branches,
Et sans guetter, parmi les rameaux infinis,
La conversation des feuilles et des nids ;
Il n'est qu'un dieu, l'amour ; avril est son prophète ;
Je me supposerai convive de la fête
Que le pinson chanteur donne au pluvier doré ;
Je fuirai de la ville et je m'envolerai,
Car l'âme du poète est une vagabonde,
Dans les ravins où mai plein de roses abonde,
Là les papillons blancs et les papillons bleus,
Ainsi que le divin se mêle au fabuleux,
Vont et viennent, croisant leurs essorts, joyeux, lestes.

Si bien qu'on les prendrait pour des lueurs célestes ;
Là jasent les oiseaux, se cherchant, s'évitant ;
Là Margot vient quand c'est Glycère qu'on attend ;
L'idéal démasqué montre ses pieds d'argile ;
On trouve Rabelais où l'on cherchait Virgile.
Ô jeunesse ! ô seins nus des femmes dans les bois !
Oh ! quelle vaste idylle et que de sombres voix !
Comme tout le hallier, plein d'invisibles mondes,
Rit dans le clair-obscur des églogues profondes !
J'aime la vision de ces réalités ;
La vie aux yeux sereins luit de tous les côtés ;
La chanson des forêts est d'une douceur telle
Que, si Phébus l'entend, quand, rêveur, il dételle
Ses chevaux las souvent au point de haleter,
Il s'arrête, et fait signe aux Muses d'écouter.

6 mai [1874-1875]

1847

Tu vois un homme ayant un projet sous les cieux,
Mes vœux n'ont plus de frein, je suis ambitieux,
J'ai résolu d'avoir un dimanche superbe,
Et mon plan, c'est d'aller nous étendre sur l'herbe.
Je couve ce dessein, je fais cet opéra.
Et nous serons autant de couples qu'on voudra.
Nous chercherons un lieu désert, une chapelle,
Un burg ne sachant plus le nom dont il s'appelle,
N'ayant plus pour baron que le merle siffleur,
Qui soit tout en ruine et qui soit tout en fleur,
D'affreux murs, noirs dans l'ombre, absolument farouches ;
Là les bouches auront des bontés pour les bouches ;
C'est mon programme. Il est un arbuste gourmand
Dont la feuille est d'un tour si frais et si charmant
Qu'on en faisait jadis une couronne aux verres ;
Il orne les vieux murs d'alcôves peu sévères ;
C'est par lui qu'un logis qui s'écroule est complet ;
Belle, ce tapissier des masures me plaît.
Viens, nous serons heureux, et pour auxiliaires,
Ô belle, nous aurons les dieux, les chants, les lierres.
Le mois de mai fera son devoir ; Dieu clément
Le veut ; on entendra chuchoter vaguement
Des profondeurs d'oiseaux sous des épaisseurs d'arbres ;
On se parlera bas ; les seins seront des marbres,
Non les cœurs ; on aura quelque ami pour témoin,
Sans empêcher pourtant qu'il aille un peu plus loin.

26 mai [1874-1875]

LA FORÊT[55]

De quoi parlait le vent ? De quoi tremblaient les branches ?
Était-ce, en ce doux mois des nids et des pervenches,
Parce que les oiseaux couraient dans les glaïeuls,
Ou parce qu'elle et moi nous étions là tout seuls ?
Elle hésitait. Pourquoi ? Soleil, azur, rosées,
Aurore ! Nous tâchions d'aller, pleins de pensées,
Elle vers la campagne et moi vers la forêt.
Chacun de son côté tirait l'autre, et, discret,
Je la suivais d'abord, puis, à son tour docile,
Elle venait, ainsi qu'autrefois en Sicile
Faisaient Flore et Moschus, Théocrite et Lydé.
Comme elle ne m'avait jamais rien accordé,
Je riais, car le mieux c'est de tâcher de rire
Lorsqu'on veut prendre une âme et qu'on ne sait que dire ;
J'étais le plus heureux des hommes, je souffrais.
Que la mousse est épaisse au fond des antres frais !
Par instants un éclair jaillissait de notre âme ;
Elle balbutiait : Monsieur... et moi : Madame.
Et nous restions pensifs, muets, vaincus, vainqueurs,
Après cette clarté faite dans nos deux cœurs.
Une source disait des choses sous un saule ;
Je n'avais encor vu qu'un peu de son épaule,
Je ne sais plus comment et je ne sais plus où ;
Oh ! le profond printemps, comme cela rend fou !
L'audace des moineaux sous les feuilles obscures,
Les papillons, l'abeille en quête, les piqûres,
Les soupirs, ressemblaient à de vagues essais,
Et j'avais peur, sentant que je m'enhardissais.
Il est certain que c'est une action étrange
D'errer dans l'ombre au point de cesser d'être un ange,
Et que l'herbe était douce, et qu'il est fabuleux
D'oser presser le bras d'une femme aux yeux bleus.
Nous nous sentions glisser vaguement sur la pente
De l'idylle où l'amour traître et divin serpente,
Et qui mène, à travers on ne sait quel jardin,
Souvent à l'enfer, mais en passant par l'éden.
Le printemps laisse faire, il permet, rien ne bouge.
Nous marchions, elle était rose, et devenait rouge,
Et je ne savais rien, tremblant de mon succès,
Sinon qu'elle pensait à ce que je pensais.
Pâle, je prononçais des noms, Béatrix, Dante ;
Sa guimpe s'entrouvrait, et ma prunelle ardente
Brillait, car l'amoureux contient un curieux.
Viens ! dis-je... — Et pourquoi pas, ô bois mystérieux ?

3 avril 1874

PRINTEMPS [56]

C'est la jeunesse et le matin.
Vois donc, ô ma belle farouche,
Partout des perles : dans le thym
Dans les roses, et dans ta bouche.

L'infini n'a rien d'effrayant ;
L'azur sourit à la chaumière ;
Et la terre est heureuse, ayant
Confiance dans la lumière.

Quand le soir vient, le soir profond,
Les fleurs se ferment sous les branches ;
Ces petites âmes s'en vont
Au fond de leurs alcôves blanches.

Elles s'endorment, et la nuit
A beau tomber noire et glacée,
Tout ce monde des fleurs qui luit
Et qui ne vit que de rosée,

L'œillet, le jasmin, le genêt,
Le trèfle incarnat qu'avril dore,
Est tranquille, car il connaît
L'exactitude de l'aurore.

18 juillet 1859

CHANSON DU GRAND-PÈRE [57]

Nous mettrons les petites filles
        Toutes en rond.
Les nids feront dans les charmilles
        Ce qu'ils voudront.
Enfants, voici les fleurs écloses,
        Et nous rirons ;
Je suis ébloui par les roses
        Et par vos fronts.
Chez les fleurs vous êtes les reines ;
        Nous le dirons

Aux prés, aux bois, aux marjolaines,
    Aux liserons.
Quand vous êtes sages et bonnes,
    Dansons, courons,
Les bleuets changent en couronnes
    Vos chaperons.
Cet hiver, sur l'herbe jaunie,
    Nous reviendrons ;
Devant votre grâce infinie,
    Futurs tendrons,
Sous votre souffle, ô mes petites,
    Dansons en rond,
Les jasmins et les clématites
    Refleuriront.
Nous mettrons les petites femmes
    Toutes en rond.
Et les messieurs diront aux dames
    Ce qu'ils voudront.

                                    23 9ᵇʳᵉ 1876

DANSE EN ROND [58]

Donnez-nous, gaîtés éphémères,
    Futurs tendrons,
Beaucoup de baisers, ... à vos mères
    Nous les rendrons.
Vous êtes tellement gentilles,
    Dansez en rond,
Que, cet hiver, quand les charmilles
    Se faneront,
À votre souffle, ô mes petites,
    Dansez en rond,
Les jasmins et les clématites
    Refleuriront.

RONDE POUR LES ENFANTS [58]

Fillettes, les fleurs sont écloses,
    Dansez, courons.
Je suis ébloui par les roses
    Et par vos fronts.

Chez les fleurs vous êtes les reines ;
    Nous le dirons
Aux bois, aux prés, aux marjolaines,
    Aux liserons.
Avec l'oiselle l'oiseau cause,
    Et s'interrompt
Pour la quereller d'un bec rose,
    Aux baisers prompt.
Donnez-nous, gaîtés éphémères,
    Futurs tendrons,
Beaucoup de baisers... — À vos mères
    Nous les rendrons.

C'est un art profond, l'art d'obéir aux petits [59].

II. « L'INCIDENT BELGE »

Vingt-trois ans après [60], le 27 mai 1871, voici ce qui se passait dans une autre grande place ; non plus à Paris, mais à Bruxelles, non plus le jour, mais la nuit.

Un homme, un aïeul, avec une jeune mère et deux petits enfants, habitait la maison numéro 4 de cette place, dite place des Barricades ; c'était le même qui avait habité le numéro 6 de la place Royale à Paris ; seulement il n'était plus qualifié « ancien pair de France », mais « ancien proscrit » ; promotion due au devoir accompli.

Cet homme était en deuil. Il venait de perdre son fils. Bruxelles le connaissait pour le voir passer dans les rues, toujours seul, la tête penchée, fantôme noir en cheveux blancs.

Il avait pour logis, nous venons de le dire, le numéro 4 de la place des Barricades.

Il occupait, avec sa famille et trois servantes, toute la maison.

Sa chambre à coucher, qui était aussi son cabinet de travail, était au premier étage et avait une fenêtre sur la place ; au-dessous, au rez-de-chaussée, était le salon, ayant de même une fenêtre sur la place ; le reste de la maison se composait des appartements des femmes et des enfants. Les étages étaient fort élevés ; la porte de la maison était contiguë à la grande fenêtre du rez-de-chaussée. De cette porte un couloir menait à un petit jardin entouré de hautes murailles au-delà duquel était un deuxième corps de logis, inhabité à cette époque à cause des vides qui s'étaient faits dans la famille.

La maison n'avait qu'une entrée et qu'une issue, la porte sur la place.

Les deux berceaux des petits enfants étaient près du lit de la jeune mère, dans la chambre du second étage donnant sur la place, au-dessus de l'appartement de l'aïeul.

Cet homme était de ceux qui ont l'âme habituellement sereine. Ce jour-là, le 27 mai, cette sérénité était encore augmentée en lui par la pensée d'une chose fraternelle qu'il avait faite le matin même. L'année 1871, on s'en souvient, a été une des plus fatales de l'histoire ; on était dans un moment lugubre. Paris venait d'être violé deux fois ; d'abord par le parricide, la guerre de l'étranger contre la France, ensuite par le fratricide, la guerre des français contre les français. Pour l'instant la lutte avait cessé ; l'un des deux partis avait écrasé l'autre ; on ne se donnait plus de coups de couteau, mais les plaies restaient ouvertes ; et à la bataille avait succédé cette paix affreuse et gisante que font les cadavres à terre et les flaques de sang figé.

Il y avait des vainqueurs et des vaincus ; c'est-à-dire d'un côté nulle clémence, de l'autre nul espoir.

Un unanime *væ victis* retentissait dans toute l'Europe. Tout ce qui se passait pouvait se résumer d'un mot : une immense absence de pitié. Les furieux tuaient, les violents applaudissaient, les morts et les lâches se taisaient. Les gouvernements étrangers étaient complices de deux façons ; les gouvernements traîtres souriaient, les gouvernements abjects fermaient aux vaincus leur frontière. Le gouvernement catholique belge était un de ces derniers. Il avait, dès le 26 mai, pris des précautions contre toute bonne action ; et il avait honteusement et majestueusement annoncé dans les deux Chambres que les fugitifs de Paris étaient au ban des nations, et que, lui gouvernement belge, il leur refusait asile.

Ce que voyant, l'habitant solitaire de la place des Barricades avait décidé que cet asile, refusé par les gouvernements à des vaincus, leur serait offert par un exilé.

Et, par une lettre rendue publique le 27 mai, il avait déclaré que, puisque toutes les portes étaient fermées aux fugitifs, sa maison à lui leur était ouverte, qu'ils pouvaient s'y présenter, et qu'ils y seraient les bienvenus, qu'il leur offrait toute la quantité d'inviolabilité qu'il pouvait avoir lui-même, qu'une fois entrés chez lui personne ne les toucherait sans commencer par lui, qu'il associait son sort au leur, et qu'il entendait ou être en danger avec eux, ou qu'ils fussent en sûreté avec lui.

Cela fait, le soir venu, après sa journée ordinaire de promenade solitaire, de rêverie et de travail, il rentra dans sa maison. Tout le monde était déjà couché dans le logis. Il monta au deuxième étage et écouta à travers une porte la respiration égale des petits enfants. Puis il redescendit au premier dans sa chambre, il s'accouda quelques instants à sa croisée, songeant aux vaincus, aux accablés, aux désespérés, aux suppliants, aux choses violentes que font les hommes, et contemplant la céleste douceur de la nuit.

Puis il ferma sa fenêtre, écrivit quelques mots, quelques vers, se déshabilla rêveur, envoya encore une pensée de pitié aux vainqueurs aussi bien qu'aux vaincus, et, en paix avec Dieu, il s'endormit.

Il fut brusquement réveillé. A travers les profonds rêves du premier sommeil, il entendit un coup de sonnette ; il se dressa. Après quelques secondes d'attente, il pensa que c'était quelqu'un qui se trompait de porte ; peut-être même ce coup de sonnette était-il imaginaire ; il y a de ces bruits dans les rêves ; il remit sa tête sur l'oreiller.

Une veilleuse éclairait sa chambre.

Au moment où il se rendormait, il y eut un second coup de sonnette, très opiniâtre et très prolongé. Cette fois il ne pouvait douter ; il se leva, mit un pantalon à pieds, des pantoufles et une robe de chambre, alla à la fenêtre et l'ouvrit.

La place était obscure, il avait encore dans les yeux le trouble du sommeil, il ne vit rien que de l'ombre, il se pencha sur cette ombre et demanda : Qui est là ?

Une voix très basse, mais très distincte, répondit : Dombrowski.

Dombrowski était le nom d'un des vaincus de Paris. Les journaux annonçaient, les uns qu'il avait été fusillé, les autres qu'il était en fuite.

L'homme que la sonnette avait réveillé pensa que ce fugitif était là, qu'il avait lu sa lettre publiée le matin, et qu'il venait lui demander asile. Il se pencha un peu plus, et aperçut en effet, dans la brume nocturne, au-dessous de lui, près de la porte de la maison, un homme de petite taille, aux larges épaules, qui ôtait son chapeau et le saluait. Il n'hésita pas, et se dit : Je vais descendre et lui ouvrir.

Comme il se redressait pour fermer la fenêtre, une grosse pierre, violemment lancée, frappa le mur à côté de sa tête. Surpris, il regarda. Un fourmillement de vagues formes humaines, qu'il n'avait pas remarqué d'abord, emplissait le fond de la place. Alors il comprit. Il se souvint que, la veille, on lui avait dit : Ne publiez pas cette lettre, sinon vous serez assassiné. Une seconde pierre, mieux ajustée, brisa la vitre au-dessus de son front, et le couvrit d'éclats de verre, dont aucun ne le blessa. C'était un deuxième renseignement sur ce qui allait être fait ou essayé. Il se pencha sur la place, le fourmillement d'ombres s'était rapproché et était massé sous sa fenêtre ; il dit d'une voix haute à cette foule : *Vous êtes des misérables !*

Et il referma la croisée.

Alors des cris frénétiques s'élevèrent : *A mort ! A la potence ! A la lanterne ! A mort le brigand !*

Il comprit que « le brigand » c'était lui.

Pensant que cette heure pouvait être pour lui la dernière, il regarda sa montre. Il était minuit et demi.

Abrégeons. Il y eut un assaut furieux. On en verra le détail dans ce livre. Qu'on se figure cette douce maison endormie, et ce réveil épouvanté. Les femmes se levèrent en sursaut, les enfants eurent peur, les pierres pleuvaient, le fracas des vitres et des glaces brisées était inexprimable. On entendait ce cri : *A mort ! A mort !* Cet assaut eut trois reprises et dura sept quarts d'heure, de minuit et demi à deux heures un quart. Plus de cinq cents pierres furent lancées dans la chambre ; une grêle de cailloux s'abattit sur le lit, point de mire de cette lapidation. La grande fenêtre fut défoncée ; les barreaux du soupirail du couloir d'entrée furent tordus ; quant à la chambre, murs, plafond, parquet, meubles, cristaux, porcelaines, rideaux arrachés par les pierres, qu'on se représente un lieu mitraillé. L'escalade fut tentée trois fois, et l'on entendit des voix crier : Une échelle ! L'effraction fut essayée, mais ne put disloquer la doublure de fer des volets du rez-de-chaussée. On s'efforça de crocheter la porte ; il y eut un gros verrou qui résista. L'un des enfants, la petite fille, était malade ; elle pleurait, l'aïeul l'avait prise dans ses bras ; une pierre lancée à l'aïeul passa près de la tête de l'enfant. Les femmes étaient en prière ; la jeune mère, vaillante, montée sur le vitrage d'une serre, appelait au secours ; mais autour de la maison en danger la surdité était profonde, surdité de terreur, de complicité peut-être. Les femmes avaient fini par remettre dans leurs berceaux les deux enfants effrayés, et l'aïeul, assis près d'eux, tenait leurs mains dans ses deux mains ; l'aîné, le petit garçon, qui se souvenait du siège de Paris, disait à demi-voix, en écoutant le tumulte sauvage de l'attaque : *C'est des prussiens.* Pendant deux heures les cris de mort allèrent grossissant, une foule effrénée s'amassait dans la place. Enfin il n'y eut plus qu'une seule clameur : *Enfonçons la porte !*

Peu après que ce cri fut poussé, dans une rue voisine, deux hommes portant une longue poutre, propre à battre les portes des maisons assiégées, se dirigeaient vers la place des Barricades, vaguement entrevus comme dans un crépuscule de la Forêt-Noire.

Mais en même temps que la poutre le soleil arrivait ; le jour se leva. Le jour est un trop grand regard pour certaines actions ; la bande se dispersa. Ces fuites d'oiseaux de nuit font partie de l'aurore.

(« Paris et Rome », § IV. *Actes et Paroles. Depuis l'exil*)

HISTORIQUE ET CHRONOLOGIE
DE L'ART D'ÊTRE GRAND-PÈRE

On identifie généralement à *L'Art d'être grand-père* « le Poème du *Grand-père* » emporté par Hugo dans son sac avec le manuscrit de *Paris assiégé (L'Année terrible)* lors de son départ pour Bordeaux, où devait se réunir l'Assemblée élue le 8 février 1871. Rien, toutefois, ne permet de se faire une idée plus précise des intentions dont témoigne ce simple titre. Des poèmes composés à cette date et appelés à prendre place dans le recueil de 1877, aucun n'est vraiment significatif de la cohérence d'un projet, qui se réduit sans doute ici aux linéaments vagues d'une préméditation plus ou moins volontaire. Comprenons que chez Victor Hugo l'écriture informe le projet autant sinon plus que le projet mobilise l'écriture : « chemins qui marchent où l'on veut aller ». L'ordonnance des recueils publiés correspond seulement au moment où la fragmentation infinie de l'écriture trouve à s'organiser. Ce moment, à cette date, manifestement n'est pas encore venu. La mention du « Poème du *Grand-père* » et, conjointement, de *Paris assiégé,* montre toutefois à quel point les deux œuvres ont, pour ainsi dire, partie liée. Elle contribue à définir ainsi l'horizon face auquel s'élaborent les œuvres composées ou publiées entre *L'Année terrible* (1872) et *L'Art d'être grand-père* (1877). Du 24 septembre 1872, le poème de *L'Exilé satisfait* précède de peu le départ pour le continent de François-Victor, d'Alice et des enfants. Il inaugure aussi la période consacrée à la rédaction de *Quatrevingt-Treize,* qui se voudrait déjà « livre du pardon » et du « retour à la lumière », au nom de l'innocence première des trois enfants sauvés de la fournaise et adoptés par la République. *Quatre-vingt-Treize* paraît en 1874, suivi de *Mes Fils :* « Les années passent, les enfants grandissent, l'homme mûrit. » C'est alors le cas de dire que « les livres se mêlent comme les arbres dans une forêt » (fin 1875 ? ; C.F.L., t. XV-XVI/1, p. 875). La plupart des pièces finalement réservées au « Poème du *Grand-père* » sont contemporaines de la publication d'*Actes et paroles* (1875-1876), de la rédaction du *Pape,* achevée le 1er décembre 1875, et de la mise au point d'une nouvelle série de *La Légende des siècles,* publiée en février 1877, moins de trois mois avant *L'Art d'être grand-père.* Le printemps et l'été 1875 constituent de ce point de vue une période exemplaire, qu'encadre la rédaction de deux poèmes dont la publication posthume a longtemps masqué le lien avec le recueil qui nous occupe : *O Rus !* (27 mai 1875 ; *Toute la lyre,* II, 43) et *Cour d'amour* (23 août 1875 ; *Nouveaux Châtiments*). De cette période datent, entre autres, une vingtaine de pièces reprises dans *L'Art d'être grand-père* (dont trois y constituent la série dite « anticléricale »), deux poèmes destinés à *La Légende des siècles (Les Enterrements civils* et *L'Elégie des fléaux)* ainsi que la préface — « Le Droit et la Loi » — d'*Actes et paroles. Avant l'exil.*

Le 10 août 1875, Victor Hugo entreprend « la mise en ordre de ses manuscrits ». C'est-à-dire que parallèlement au travail d'écriture il commence à réfléchir au choix des poèmes et à l'ordonnance des recueils destinés à les rassembler. Ce travail est marqué par de nombreux repentirs et les hésitations propres à la recherche d'un ordre qui semble jusqu'au bout échapper au maître d'œuvre. C'est ainsi que *L'Épopée du lion* (XIII) est tour à tour prévue pour servir d'introduction ou de conclusion au livre. Le titre *A Guernesey* (I) a désigné un temps un ensemble constitué par les trois premières sections. Le cycle auquel il renvoie finalement devait s'ouvrir par le poème *Lætitia rerum* (VII). Il se construit peu à peu par l'addition de *L'Exilé satisfait* (I, 1) puis, successivement, de *Georges et Jeanne* (I, 6) et de *Fenêtres ouvertes* (I, 11). Le *Poème du Jardin des plantes* (IV), réduit d'abord à ses vignettes les plus anecdotiques, trouve assez vite sa place. A l'origine, le récit plaisant de deux « promenades » (IV, 3 et 7), auxquels vinrent s'ajouter, à l'intention du « lecteur pensif », les deux pièces consacrées à « dire son fait à Dieu » (IV, 1 et 5). Restait à équilibrer l'ensemble par le jeu des intercalations (IV, 2, 4, 6, 8 et 9). Issues d'un poème unique, les pièces dédiées à Georges et à Jeanne (IV, 4 et 6) viennent ainsi encadrer le second poème à Dieu. Elles constituent, avec les deux dernières (IV, 8 et 9) un cycle secondaire de la damnation-rédemption. Étendu à l'ensemble du recueil, le même souci d'équilibre explique la disposition, de part et d'autre des trois poèmes centraux (V, VIII, IX), des séries en trumeaux : *VI. Grand âge et bas âge mêlés; X. Enfants, oiseaux et fleurs.* L'adjonction, tardive, en onzième position, de *Jeanne lapidée*, est pour contribuer à l'assombrissement passager du développement, par contraste avec la pièce suivante : *Jeanne endormie. III* (XII). La section finale (XVIII) fait écho à la section d'ouverture, comme les « pages du devoir » à la « joie dans les choses ». Le tout se trouve pour ainsi dire lié par la disposition des quatre poèmes de *Jeanne endormie,* dont la dispersion contribue paradoxalement à l'unité du livre. On voit comment, à partir de données quelconques, empruntées à l'album de famille, se construit peu à peu la leçon qu'on en peut tirer. Il y fallait l'exceptionnelle imagination combinatoire dont Victor Hugo fait ainsi preuve, une dernière fois.

finalement devait s'ouvrir par le poème L'aube recom-
(VII). Il se construit peu à peu par l'addition de L'Exilé
sautait (I, 1) puis successivement de Georges et
Jeanne (I, 6) et de Fenêtres ouvertes (I, 11). Le Poème
du Jardin des plantes (IV), réduit d'abord à ses
vignettes les plus anecdotiques, trouve assez vite sa
place. A l'origine, le récit plaisant de deux « promenades » (IV, 3 et 7), auxquels vinrent s'ajouter, à
l'intention du « lecteur pensif », les deux pièces consacrées à « dire Son fait à Dieu » (IV, 1 et 5). Restait à
équilibrer l'ensemble par le jeu des intercalations (IV,
2, 4, 6, 8 et 9) Issues d'un poème unique, les pièces
dédiées à Georges et à Jeanne (IV, 4 et 6) viennent
ainsi encadrer le second poème à Dieu. Elles constituent, avec les deux dernières (IV, 8 et 9) un cycle
secondaire de la damnation-rédemption. Etendu à
l'ensemble du recueil, le même souci d'équilibre explique la disposition, de part et d'autre des trois poèmes
centraux (V, VIII, IX), des séries en trumeaux : VI.
Grand âge et bas âge mêlés ; X. Enfants oiseaux et
fleurs. L'adjonction tardive, en onzième position, de
Jeanne lapidée, est pour contribuer à l'assombrissement
passager du développement, par contraste avec la pièce
suivante : Jeanne endormie, (II [XII) La section finale
(XVIII) fait écho à la section d'ouverture, comme les
« pages du devoir » à la « joie dans les choses ». Le
tout se trouve pour ainsi dire lié par la disposition des
quatre poèmes de Jeanne endormie, dont la dispersion
contribue paradoxalement à l'unité du livre. On voit
comment, à partir de données quelconques, empruntées à l'album de famille, se construit peu à peu la leçon
qu'on en peut tirer. Il y fallait l'exceptionnelle imagination combinatoire dont Victor Hugo fait ainsi preuve,
une dernière fois.

CHRONOLOGIE

CHRONOLOGIE

2 janv. 1876	IV, 9	*La face de la bête est terrible…*
6 janv. 1876	IV, 8	*C'est une émotion étrange…*
15 janv. 1876	IV, 4	A Georges
23 avril [1876]	XI	Jeanne lapidée [a]
2 mai [1876]	XV, 6	Aux champs
21 oct. 1876	VI, 6	*Jeanne était au pain sec…*
25-26 nov. 1876	XVI, 1	Chanson de grand-père
[4 avril 1877]	VI, 8	Le Pot cassé

a. Je rectifie la date proposée par Pierre Albouy (1872). Le poème est évidemment contemporain du récit en prose de l' « incident belge », tel qu'on peut le lire dans la préface — « Paris et Rome » — d'*Actes et paroles. Depuis l'exil*, préface datée de « mai 1876 ».

BIBLIOGRAPHIE

L'Art d'être grand-père. — Paris, Calmann-Lévy, éditeur, ancienne maison Michel-Lévy (imprimerie A. Quantin), 1877. Édition originale. Considérablement enrichi de pièces autographes et de documents photographiques, un des vingt exemplaires sur Chine a été vendu à l'Hôtel Drouot le 28 avril 1975. Il semble avoir quitté la France.

L'Art d'être grand-père. — Édition de l'Imprimerie nationale. Poésie. VIII. Paris, Paul Ollendorf, 1914.

Œuvres complètes. — Édition chronologique, sous la direction de Jean Massin, t. XV-XVI/1, Club français du livre, 1970, p. 843-1007. Présentation de Claude Gély ; notes de Jean Massin et Élyette Vasseur.

Œuvres poétiques, III. — Bibliothèque de la Pléiade, Gallimard, 1974. Introduction (p. XLI-LII) et notes (p. 1217-1350) de Pierre Albouy.

Conformément aux dispositions testamentaires de Victor Hugo, le manuscrit de *L'Art d'être grand-père* est aujourd'hui conservé à la Bibliothèque nationale, sous la cote : nouvelles acquisitions françaises, 24740. Relié en parchemin, il porte l'ex-libris de Victor Hugo. Le texte (folios 1-200) est suivi d'une copie incomplète et d'un « Reliquat » regroupant quelques poèmes apparentés au recueil et divers documents.

La fortune critique de *L'Art d'être grand-père* n'est

pas à la mesure du succès rencontré lors de sa publication. L'œuvre n'a guère été abordée que par les voies
obliques de la « fantaisie » ou de l' « intimité » :
— Jean-Bertrand Barrère, *La Fantaisie de Victor
Hugo*, t. II (1852-1885) nouveau tirage, Klincksieck,
1972. On aurait tort de négliger le tome III, consacré à
l'inventaire des « thèmes et motifs » (Klincksieck,
1973) ;
— Claude Gély, *Victor Hugo, poète de l'intimité*,
Nizet, 1969.

On regrettera que Pierre Malandain n'ait pas poussé
au-delà de 1852 son enquête sur « Victor et Jean,
poètes » (*Revue des Sciences humaines*, 1974-4, p. 519-
546). La Fontaine est très présent dans *L'Art d'être
grand-père*. Mais c'est surtout l'édition procurée en
1974 par Pierre Albouy qui donna pour la première fois
une vue un peu exacte du texte et des intentions de
Victor Hugo.

Anne Ubersfeld, « Hugo ou l'aïeul infini », *Lende-
      mains*, III, 10, 1978, p. 45-54. Repris dans : *Paroles
      de Hugo*, Éditions sociales, 1985.

On ne manquera pas non plus de parcourir les
souvenirs de Georges Hugo sur son grand-père, publiés
à l'occasion du centenaire de la naissance de Victor
Hugo : *Mon grand-père*, Calmann-Lévy, 1902 (édition
illustrée d'aquarelles de Georges Hugo à la Librairie de
France en 1932). Voir aussi l'Édition chronologique,
t. XV-XVI/2, p. 923-939, avec une présentation de
Pierre Georgel.

La tradition familiale devait également trouver en
Jean Hugo, arrière-petit-fils de Victor Hugo, fils de
Georges, un mémorialiste des plus attentifs. Sa disparition récente fait qu'on souhaite de nombreux lecteurs
au *Regard de la mémoire* (Actes-Sud, 1984).

BIOGRAPHIE

1802 : Naissance à Besançon, le 26 février, de Victor-
Marie Hugo, fils cadet de Léopold-Sigisbert Hugo,
28 ans, chef de bataillon, et de Sophie Trébuchet.
1807 : En décembre, Mme Hugo, accompagnée de ses
trois enfants, va rejoindre son mari près de Naples.
Retour à Paris au début de 1809.
1809-1811 : Séjour aux Feuillantines. Le colonel Hugo
est en Espagne, auprès du roi Joseph.
1811 : En mars, la famille Hugo se met en route pour
rejoindre à Madrid le général Hugo. « Une idylle à
Bayonne » (*Victor Hugo raconté...*, chapitre XVI).
Inoubliable traversée de l'Espagne par Ernani,
Tolosa, Torquemada, Valladolid et Ségovie. En juin,
installation au palais Masserano.
1812 : Retour aux Feuillantines. Le général Lahorie,
parrain de Victor Hugo et amant de Sophie, est
fusillé.
1815 : Interne à la pension Cordier, Victor Hugo
compose odes, fables, romances et chansons. Traductions du latin.
1816 : Au lycée Louis-le-Grand, Victor Hugo suit les
cours de philosophie et de mathématiques élémen-
taires.
1817 : Mention au concours de l'Académie pour *Le
bonheur que procure l'étude...* Traductions du latin,
dont un *Priape* adapté d'Horace.
1818 : Jugement de séparation entre les époux Hugo.

1819 : Récompenses au concours de l'Académie des Jeux floraux. En décembre, Victor Hugo fonde *Le Conservateur littéraire*.

1820 : Première gratification de Louis XVIII. Première version de *Bug-Jargal*. Mme Hugo s'oppose au mariage de Victor Hugo et d'Adèle Foucher.

1821 : Mort de Mme Hugo.

1822 : *Odes et poésies diverses*. Pension royale de 1 000 francs. Mariage de Victor Hugo avec Adèle Foucher.

1823 : *Han d'Islande*. Internement d'Eugène Hugo. Naissance et mort d'un premier enfant, Léopold.

1824 : *Nouvelles Odes*. Victor Hugo fréquente chez Charles Nodier, à l'Arsenal. Naissance de Léopoldine Hugo.

1825 : Chevalier de la Légion d'honneur, Victor Hugo fait le voyage de Reims pour assister au Sacre de Charles X. Voyage en Savoie, avec Nodier.

1826 : Nouvelle version de *Bug-Jargal*. *Odes et Ballades*. Naissance de Charles Hugo.

1827 : *Cromwell*.

1828 : Mort du général Hugo. Naissance de François-Victor Hugo.

1829 : *Les Orientales*. *Le Dernier Jour d'un condamné*. Interdiction de *Marion Delorme*.

1830 : *Hernani*. Naissance d'Adèle Hugo.

1831 : *Notre-Dame de Paris*. *Les Feuilles d'automne*.

1832 : *Le Roi s'amuse*.

1833 : *Lucrèce Borgia*. *Marie Tudor*. Victor Hugo devient l'amant de Juliette Drouet, qui joue dans les deux pièces.

1834 : *Littérature et philosophie mêlées*. *Claude Gueux*.

1835 : *Angelo, tyran de Padoue*. Voyage en Normandie avec Juliette Drouet. Louise Bertin, aux Roches, joue à l'art d'être grand-mère avec les petits Hugo. *Les Chants du crépuscule*.

1836 : Voyage en Normandie et en Bretagne avec Juliette Drouet. Les enfants passent l'été à Fourqueux, où Léopoldine fait sa première communion.

1837 : Mort d'Eugène, frère aîné de Victor Hugo, à

l'asile de Charenton. *Les Voix intérieures,* où s'ébauche un cycle de l'enfance (XX-XXVI). Voyage en Belgique et en Normandie avec Juliette Drouet.

1838 : *Ruy Blas.*

1839 : Voyage en Alsace, en Suisse et en Provence.

1840 : *Les Rayons et les Ombres* : « Ce qui se passait aux Feuillantines vers 1813 » (XIX). La famille s'installe pour l'été à Saint-Prix (Saint-Leu). *Le Retour de l'Empereur.*

1841 : Victor Hugo, après trois échecs, est élu et reçu à l'Académie française. Séjour à Saint-Prix.

1842 : *Le Rhin.*

1843 : Léopoldine Hugo épouse Charles Vacquerie. *Les Burgraves* (Job, « l'aïeul puni dans sa postérité »). Voyage en Espagne (Pepa et Pepita) et dans les Pyrénées. Sur le chemin du retour, Victor Hugo apprend, dans un journal, la mort, à Villequier, de sa fille et de son gendre (4 septembre).

1845 : Victor Hugo pair de France. Devenu l'amant de Léonie Biard, il est surpris par un commissaire de police instrumentant sur réquisition du mari. Il commence *Les Misères,* qui deviendront *Les Misérables.*

1846 : Mort à vingt ans de Claire Pradier, fille de Juliette Drouet et du sculpteur Pradier. (*Contemplations,* III, 9 ; IV, 11 ; VI, 8.)

1848 : Victor Hugo est élu à l'Assemblée constituante. Il « représente » l'Assemblée en Juin face aux barricades et au côté des « épaulettes vertes ». Il participe à la fondation de *L'Événement,* qui soutiendra la candidature de Louis Bonaparte à la Présidence de la République.

1850 : Discours sur la misère, contre les lois Falloux (« dites liberté de l'enseignement »), contre l'expédition de Rome, sur le suffrage universel... Discours aux funérailles de Balzac.

1851 : Victor Hugo est au premier rang de la résistance parlementaire au coup d'État. Il passe la frontière belge le 11 décembre au soir avec le passeport d'un ouvrier typographe.

1852 : *Napoléon-le-Petit*. Victor Hugo quitte Bruxelles pour Jersey.

1853 : *Châtiments*.

1854 : Victor Hugo travaille à *La Fin de Satan*, aux *Contemplations*, à l'idylle de *La Forêt mouillée* (histoire d' « un jeune homme amoureux de la nature et que la nature conspire à rendre amoureux d'une femme »).

1855 : Expulsion de Jersey. Installation à Guernesey. Publication du dogme de l'Immaculée Conception.

1856 : *Les Contemplations*. Ébauché en 1837, le cycle de l'enfance se poursuit ici, de part et d'autre de l' « abîme » qui sépare les deux volumes. Achat de Hauteville-House.

1857 : Victor Hugo travaille à plusieurs projets : *L'Ane, La Révolution, La Légende des siècles*.

1858 : *Les Enfants*, choix de poésies extraites des œuvres de Victor Hugo. Achèvement de *La Pitié suprême*, du *Verso de la page*, de *L'Ane*.

1859 : *La Légende des siècles* (première série). Séjour à l'île de Serk. Victor Hugo travaille aux *Chansons des rues et des bois* et aux futurs *Travailleurs de la mer*. Il s'est remis à *La Fin de Satan*.

1860 : Abandon de *La Fin de Satan* pour *Les Misérables. Philosophie (Commencement d'un livre)*.

1862 : *Les Misérables (magnitudo parvulorum :* la petite toute seule ; le tombeau de Gavroche). *Le Livre des mères. Les Enfants*, édition illustrée. Voyage en Belgique et sur les bords du Rhin.

1863 : Adèle Hugo s'enfuit du domicile familial. Voyage en Allemagne. Publication de *Victor Hugo raconté par un témoin de sa vie* (l'auteur est Mme Victor Hugo).

1864 : *William Shakespeare*. Voyage en Allemagne et en Belgique. Mariage à Bruxelles de Charles Hugo et d'Alice Lehaene. Le *Syllabus* (Encyclique *Quanta Cura*).

1865 : Voyage en Belgique, en Allemagne et au Luxembourg. *Les Chansons des rues et des bois*.

1866 : *Les Travailleurs de la mer*.

1867 : Introduction à *Paris-Guide* (à l'occasion de l'Exposition universelle). Voyage en Zélande.

1868 : Naissance de Georges, fils de Charles Hugo. Victor Hugo récite à Verlaine des vers des *Poèmes saturniens*. Mort de Mme Victor Hugo. Inhumation à Villequier.

1869 : *L'Homme qui rit* : le misanthrope Ursus y apprend à « obéir aux petits ». Victor Hugo achève *Torquemada*. Congrès de la paix, à Lausanne. Naissance de Jeanne, fille de Charles Hugo.

1870 : Georges et Jeanne passent l'été à Guernesey. Proclamation par le Concile du Vatican du dogme de l'Infaillibilité pontificale. Retour de Victor Hugo en France après Sedan. Siège de Paris.

1871 : Victor Hugo est élu député de Paris. Départ pour l'Assemblée de Bordeaux avec, « en bandoulière », les manuscrits de *Paris assiégé* (*L'Année terrible*) et du « Poème du *Grand-père* ». Démission. Mort de Charles Hugo. Enterrement au Père-Lachaise en même temps que s'édifient les premières barricades de la Commune. Départ pour Bruxelles. Nuit du 27 mai (« Jeanne lapidée »). Expulsion de Belgique. Séjour à Vianden, au Luxembourg.

1872 : *L'Année terrible*. Internement à Saint-Mandé d'Adèle Hugo revenue des Amériques : « Encore une porte refermée, plus sombre que celle du tombeau. » Retour de Victor Hugo à Guernesey.

1873 : Mort de François-Victor Hugo : « Encore une fracture. » Tentatives de restauration monarchique.

1874 : *Quatrevingt-Treize* : les trois enfants adoptés par le bataillon du Bonnet-Rouge et sauvés de la fournaise. *Mes Fils*.

1875 : *Actes et paroles* : *Avant* et *Pendant l'exil*, avec « Le Droit et la Loi » et « Ce que c'est que l'exil ». Victor Hugo achève *Le Pape* et travaille à *L'Art d'être grand-père*.

1876 : Victor Hugo, sénateur de la Seine, dépose un projet de loi pour l'amnistie des Communards. Proposition rejetée. Gambetta se prononce à Belleville contre le principe d'amnistie, qualifie la

Commune d' « insurrection criminelle » et ironise sur les exilés de 1851. *Actes et paroles : Depuis l'exil*, avec « Paris et Rome ». Encyclique *Sæpe venerabilis fratres* (le denier de saint Pierre).

1877 : *La Légende des siècles* (nouvelle série). Gambetta : « Le cléricalisme voilà l'ennemi. » On parle de nommer Édouard Lockroy cotuteur des enfants Hugo, qui passent pour trop gâtés. Remariage d'Alice Charles-Hugo avec Lockroy. Publication de *L'Art d'être grand-père* (14 mai). Mac-Mahon démissionne Jules Simon (16 mai). Victor Hugo : « Je décide, en présence de ce qui semble se préparer, que je mettrai en sûreté mes manuscrits. Je ferai le contraire pour ma personne » (31 mai). Dissolution de la Chambre (22 juin). Gambetta annonce que Mac-Mahon devra « se soumettre ou se démettre » (15 août). *Histoire d'un crime, I* (« Ce livre est plus qu'actuel, il est urgent. Je le publie. ») Élections législatives : succès des républicains (14 octobre). Démission du ministère de Broglie. Député d'Aix, Lockroy demande la mise en accusation du « ministère du 16 mai ».

1878 : *Histoire d'un crime, II*. Victor Hugo est frappé de congestion cérébrale.

1880 : L'amnistie est votée.

1881 : Apothéose de Victor Hugo pour son quatre-vingtième anniversaire. *Les Quatre Vents de l'esprit*. Testament : « Je donne tous mes manuscrits et tout ce qui sera trouvé écrit ou dessiné par moi à la Bibliothèque nationale de Paris. »

1883 : *La Légende des siècles* (série complémentaire). Mort de Juliette Drouet.

1885 : Mort de Victor Hugo (22 mai). Funérailles nationales. Nuit de liesse populaire dans les jardins de l'Avenue du Bois.

INDEX DES NOMS

L'index qui suit vise d'abord à l'allégement de l'annotation. Le lecteur d'aujourd'hui n'a plus rien à voir avec la bourgeoisie cultivée, encyclopédiste, proche de ses humanités, « humaniste » pour tout dire, à laquelle tentait de s'adresser Victor Hugo. D'où la nécessité de ces notules, superflues aux spécialistes, indispensables au lecteur de bonne volonté. Mais on se propose surtout de mettre en évidence la manière dont le *système* de l'œuvre, chez Hugo, *valorise* le nom propre. Il convient, en effet, de distinguer sa *signification,* dont la clef est dans les dictionnaires, de sa *valeur,* ici et nulle part ailleurs. La désignation, ainsi, tend à s'effacer, incluse dans la signifiance. Celle-ci *fait* le terme, et non l'inverse. Sérieuse atteinte portée au propre, puisque le nom devient mot : « Le nom rejoignant le mot, la continuité entre les mots, les noms, les choses installe l'une par l'autre une métaphysique de la nature et une métaphysique de l'histoire, — une idéologie politique dans une écriture » (Henri Meschonnic, *Écrire Hugo,* t. II, Gallimard, 1977, p. 280, 285).

ADAM, XV, VII.

AFRIQUE. La nature dans son abjection. Séjour, dans sa partie septentrionale et depuis la conquête, des « transportés » de Juin 1848 et de 1852. IV, VIII.

ALECTON. L' « incessante ». Une des Erinnyes. XVIII, IV.

AMÉRIQUE. Découverte par Chateaubriand. C'est le pays des « forêts du Nouveau-Monde », de la Déclaration d'Indépendance (4 juillet 1776), le faire-valoir du général Lafayette et le modèle de la démocratie, selon Tocqueville. IV, VII.

AMMON. Ammon-Râ, dont les temples se voient encore à Karnak. XVIII, V, II.

AMOS. Un des douze petits prophètes. IV, IX.

ANANKÈ. Inscription disparue des murs de Notre-Dame (*Notre-Dame de Paris*, 1831) : la Nécessité. « Borborygme », ici, de la Providence. IV, I.

ANTÉCHRIST. Doit apparaître avant la fin du monde pour remplir la terre de crimes et d'impiété, avant d'être vaincu par le Sauveur. V.

ANTISTHÈNE. Philosophe grec, fondateur de la secte des Cyniques. Le premier à avoir pris le bâton et la besace des mendiants comme symboles de la philosophie. Non sans ostentation : « J'aperçois son orgueil à travers les trous de son manteau », aurait dit Socrate. XVIII, V, I.

APOLLON. Dieu solaire de la mythologie grecque, parangon de la beauté selon les canons de la statuaire classique. XVIII, III (pluriel générique).

ARBUEZ (D'). San Pedro de Arbuez, grand inquisiteur d'Aragon, cité dans *Torquemada* et dans l'*Élégie des fléaux* : « L'âme terrible où se réfugia l'affreux dogme sorti de l'antre à Borgia. » XVIII, IV.

ARGONNE. Entre la Haute-Marne et les Ardennes, le défilé de la Croix-aux-Bois y fait figure de « Thermopyles de la France ». Remportée par Dumouriez et Kellermann en 1792, la victoire de

Valmy eut pour effet d'en interdire l'accès. Il en fut autrement en 1870. XV, ix.

ARIEL. Esprit des Airs, dans *La Tempête* de Shakespeare. IV, viii.

ARNAUD (François-Thomas-Marie de Baculard d'Arnaud), 1718-1805. Littérateur mort dans la misère après avoir été protégé à ses débuts par Voltaire. Poète, romancier et dramaturge, précurseur du genre « frénétique » au théâtre. IV, v.

ASSYRIE. L'empire assyrien, au VIIᵉ siècle avant Jésus-Christ, touchait à la Méditerranée, à la mer Rouge, au golfe Persique et presque à la Caspienne. IV, iv.

ASTARTÉ. Divinité sidérale associée à Baal et adorée chez tous les peuples sémitiques. A la fois la Lune et Vénus : vierge et mère.

ASTYANAX. Fils d'Hector et d'Andromaque. Suivant la tradition adoptée par Racine, il suivit sa mère à la cour de Pyrrhus. Il passe aussi pour avoir été précipité du haut des murailles de Troie par Ulysse. Son cas est exemplaire de celui des rejetons des dynasties vaincues. Hugo prend son parti contre celui d'Hector. Peut-être pense-t-il surtout à Andromaque, comme Baudelaire (« Le Cygne », *Les Fleurs du mal*, 1861, dédié à Victor Hugo). XV, ix.

ATHOS (Mont). Montagne sainte à l'extrémité sud-orientale de la presqu'île de Salonique, peuplée de moines de l'ordre de saint Basile. IV, viii.

ATLAS (Mont). Massif du nord-ouest africain, entre Atlantique et Méditerranée. Du nom du fils de Zeus et de Clymène, transformé en montagne pour avoir refusé l'hospitalité à Persée. IV, viii.

AVERNE. Lac de cratère en Italie, entre Pouzzoles et Baïa. Homère et Virgile y avaient placé l'entrée des Enfers. XIII.

AVRANCHES. Ancien évêché illustré par Huet et réuni en 1791 à celui de Coutances. Visité par Hugo en juin 1836. III, ii.

BAAL. Dieu phénicien, maître et seigneur d'Astarté. Les prophètes s'opposèrent à la tentation pour les Israélites de faire de Jéhovah une sorte de Baal. Devenu le symbole de tous les faux dieux. XVIII, ii.

BABYLONE. Capitale, sur l'Euphrate, de la Mésopotamie, fondée par les enfants de Noé échappés au Déluge, et plus ou moins détruite par Xerxès. Les Israélites lui vouaient une haine profonde, qui lui valut l'appellation de *grande prostituée*, appliquée depuis à toutes les métropoles. XV, iv.

BACULARD. Voir Arnaud.

BARBÈS (Armand), 1809-1870. Révolutionnaire intraitable, condamné à mort en 1839. Sa peine fut commuée, sur intervention de Victor Hugo, en détention perpétuelle. Représentant en 1848, il est de nouveau condamné et enfermé à Belle-Ile. Gracié par Napoléon III, il se condamna lui-même à l'exil et mourut quinze jours avant la déclaration de guerre. VI, iv.

BRIARÉE. Géant aux cent bras et aux cinquante têtes, fils du Ciel et de la Terre. On disait autrefois *un Briarée* pour désigner un homme d'une activité extraordinaire. XIII, IV.

BRUTUS. Tyrranicide célèbre, assassin de César et « spectre » dans *Châtiments*. Le père de Victor Hugo avait choisi Brutus comme prénom républicain. VI, IV ; VIII.

BRUXELLES. Première étape de l'exil de Victor Hugo en 1851. Domicile par la suite de François-Victor et de Charles, puis d'Alice et des enfants (4, place des Barricades). XI.

BUFFON (Georges-Louis Leclerc, comte de), 1707-1788. Intendant, sous Louis XV, du Jardin du Roi, auteur d'une *Histoire naturelle* en 36 volumes (1749-1789), où sont pressenties beaucoup d'idées modernes sur la variabilité des espèces, et d'une définition du style comme « de l'homme même » *(Discours de réception à l'Académie)*. « Génie égal à la majesté de la nature » *(Majestati naturæ par ingenium)*, dit l'inscription de sa statue, à l'entrée du Muséum. IV, I ; IV, IV ; IV, VII.

CAÏN. Fils aîné d'Adam et d'Ève. Père de l'industrie et meurtrier de son frère Abel. Maudit, errant et intouchable. XVIII, IV.

CALAS (Jean), 1698-1762. Négociant calviniste, injustement accusé d'avoir étranglé son fils pour ne pas risquer de le voir se convertir au catholicisme et condamné à être roué vif. Voltaire recueillit sa veuve et ses deux enfants à Ferney et obtint sa réhabilitation en 1768. IV, X.

CALIBAN. Esclave sauvage et difforme, dans *La Tempête* de Shakespeare. IV, VIII.

CALYDON. Ville de l'ancienne Étolie, célèbre par la légende du sanglier que tua Méléagre. IV, VIII.

CAMBYSE. Roi de Perse, successeur de Cyrus en 529 av. J.-C., follement cruel envers les siens, ses sujets et les peuples conquis. XVIII, V, III.

CALVAIRE. « Lieu du crâne » *(calvarium)*, nom latin du Golgotha, au sommet duquel Jésus fut crucifié. XI.

CARRIER (Jean-Baptiste), 1756-1794. Proconsul de Nantes sous la Terreur. Le grand-père maternel de Victor Hugo avait été juge sous Carrier au tribunal révolutionnaire de Nantes. XVIII, IV.

CATON (l'Ancien, ou le Censeur), 232-147 av. J.-C. Type achevé du vieux Romain, censeur des mœurs et pourfendeur de Carthaginois (« Il faut détruire Carthage »), usurier et, sur le tard, passablement débauché. CATON (d'Utique), 95-46 av. J.-C. arrière-petit-fils du Censeur, adversaire malheureux des commis de la République, il se suicida après avoir relu le *Phédon* de Platon : « Je suis maintenant mon maître. » VI, IV.

CÉSAR (Jules), 100-44 av. J.-C. Aristocrate et démagogue romain qui donna son nom à tous les empereurs. Napoléon III avait publié son *Histoire* en 1865. VI, IV ; VIII ; XVIII, I.

CHALDÉE. Pays de Babylone, célèbre par ses mages. Une manière de
« promontoire du songe ». IV, x ; XVIII, v, ii.

CHAPSAL (Charles-Pierre), 1688-1758. Auteur, avec Noël, d'une
Grammaire française (1823). VIII.

CHARENTON. Chef-lieu du Val-de-Marne, célèbre par son établisse-
ment d'aliénés. Eugène Hugo y avait été soigné par le Dʳ Esquirol.
Rendant compte en 1864 du *Shakespeare* de Victor Hugo, un
critique refusait en ces termes de suivre l'auteur : « Il nous
mènerait à Charenton. » V.

CHARLES. Voir Charles HUGO.

CHARLES Iᵉʳ, 1600-1649. Roi d'Angleterre, un des derniers Stuarts.
Cromwell le fit décapiter comme *tyran, traître, meurtrier* et *ennemi
public.* XVIII, iv.

CHÉRUBIN. Personnage adolescent du *Mariage de Figaro* (Beaumarchais). Les théologiens catholiques placent les Chérubins au
second rang de la première hiérarchie des anges. II.

CHINE. Ouverte et mise en coupe par les Occidentaux à partir de la
Guerre de l'opium (1839-1842). Une nouvelle intervention mili-
taire des franco-anglais, à partir de 1856, aboutit au sac du Palais
d'Été à Pékin (1860) : « Un jour deux bandits sont entrés dans le
Palais d'Été... » (lettre ouverte de Victor Hugo au capitaine
Butler, 25 novembre 1861). La Chine, et plus précisément le Palais
d'Été, sont pour Hugo les modèles du « chimérisme » dans l'art.
VI, viii.

CHUTE. Le péché originel et ses conséquences. C'est aussi le titre du
livre II de la première partie des *Misérables* (1862) et de la
conclusion d'*Histoire d'un crime* (1878). XV, vii.

CLOTHO. La « fileuse », celle des trois Parques qui filait les jours.
XVIII, iv.

CODRUS. Dernier roi d'Athènes. Se dévoua pour sauver l'Attique
d'une invasion dorienne. Personne ne fut jugé digne de lui
succéder, occasion pour l'aristocratie d'imposer son pouvoir. Cité
ici par contraste avec Néron. VIII.

COLARDEAU (Charles-Pierre), 1732-1776. Poète académique dont les
œuvres ont souvent été réunies à celles de Malfilâtre. IV, i.

COLIN-MAILLARD. Guerrier plus ou moins légendaire du pays de
Liège, qui passait pour avoir continué à se battre les deux yeux
crevés. C'est l'origine du jeu qui porte son nom. VII.

CORBIÈRE (Jacques, comte de), 1767-1853. Ministre de Villèle sous la
Restauration, inféodé à la Congrégation, un des tombeurs de
Chateaubriand. IV, iv.

CROMWELL (Olivier), 1599-1658. Proclamé « Lord Protecteur de la
République d'Angleterre, d'Écosse et d'Irlande » (1653) après
l'exécution de Charles Iᵉʳ (1649). Rôle-titre d'un drame de Hugo
dont l'action se situe en 1657. « Quand donc serai-je roi ? », se
demande le Protecteur, un an avant sa mort. XVIII, iv.

DAHOMEY. Protectorat français résultant des traités de 1841, 1858, 1868. IV, VII.

DANTE (Durante ALIGHIERI, dit), 1265-1321. Un des « génies » de la « région des Égaux ». Figure de proscrit, condamné à l'exil, puis à mort par ses concitoyens (1301). Dante sert à Hugo de prête-nom pour vouer aux Enfers « le Pape de Rome » et les maîtres du monde (*La Vision de Dante*, 1853). VI, IV ; XV, IV ; XVIII, III ; XVIII, V, II.

DANTON (Georges-Jacques), 1759-1794. Fut à la Convention ce que Mirabeau avait été à la Constituante. Héros de l'union contre l'étranger, mis en scène en tant que tel dans *Quatrevingt-Treize* (1874). XV, IX.

DARFOUR. Ancienne province du Soudan conquise en 1874 par le gouvernement égyptien. On y réprima en 1877 une révolte de Soliman, fils d'un marchand d'esclaves. IV, VII.

DAVID. Deuxième roi des Israélites, successeur de Saül. Vainqueur du géant Goliath et fondateur de Jérusalem. Amant de Bethsabée. Poète et prophète. XVIII, V, I.

DÉDÉ. Voir Adèle HUGO.

DELALAIN. Famille d'imprimeurs et libraires parisiens. Jacques-Auguste (1774-1852) avait acquis en 1808 le fonds d'Hippolyte Barbou. Spécialisé dans l'édition d'ouvrages scolaires. VIII.

DELPHES. Le centre de la terre, en Phocide. Les dieux y entraient, par l'intermédiaire de la Pythie, en communication avec les hommes. XVIII, V, II.

DESPRÉAUX. Voir BOILEAU.

DIDEROT (Denis), 1713-1784. « C'est un idéologue, un déclamateur et un révolutionnaire, au fond croyant en Dieu, et plus bigot que Voltaire », selon le « sénateur comte Néant » dans *Les Misérables* (I, I, VIII) : tout le portrait de Hugo, qui venait de lui consacrer une « idylle » (*La Légende des siècles*, nouvelle série, XVIII, XX). XV, IV.

DIEU. *Passim.* Une centaine d'occurrences, dont certaines au « bon Dieu », au Dieu bon : III, III ; VII ; X, III ; XVII. Dieu est aussi représenté en « bon vieux grand-père » (I, III), ou sert de prête-nom à Victor Hugo : « Si j'étais le bon Dieu... » (VI, X).

DUPANLOUP (Félix-Antoine), 1802-1878. Évêque d'Orléans (1849), champion de la « liberté de l'enseignement » (1850, 1875), lui-même de tendance libérale (voir ses polémiques avec Veuillot et ses prises de position contre l'infaillibilité pontificale). Démissionnaire, en 1871, de l'Académie lors de l'élection de Littré. Il venait d'être élu sénateur et Victor Hugo l'aperçoit alors pour la première fois : « nez crochu, face rouge, air furieux » (4 avril 1876). VI, X.

DUPIN (André-Marie-Jean-Jacques), dit « de la Nièvre »), 1783-1865. Avocat du maréchal Ney et de Béranger sous la Restauration, orléaniste et anticlérical, procureur général à la Cour de cassation en 1830, président de la Chambre des députés de 1832 à 1839.

Député de la Nièvre et président de l'Assemblée législative (1849-1851). Démissionne de sa charge de procureur à la saisie des biens des Orléans, puis la retrouve en 1857. « S'il y a un homme que je méprise plus que Bonaparte, c'est Dupin » (V. H.). IV, I.

DUPONT DE NEMOURS (Pierre-Samuel), 1739-1817. Physiocrate, ami de Turgot. Décrété d'accusation par la Convention, il se réfugia en Amérique où il se consacra à l'agriculture et à la philosophie. Il s'efforça de démontrer que les bêtes ont une âme et qu'elles parlent. Relativement présent chez Hugo, qui le cite dès l'époque du *Conservateur littéraire* (1820), et jusque dans la *Préface philosophique* (1860). IV, II.

ÉDEN. Le Premier Jardin (*Genèse*, II, VIII ; IV, XVI), où furent placés Adam et Ève. XIV.

ÉGYPTE. Autre « promontoire du songe », quelque peu défiguré par le percement du canal de Suez (1860-1869). Conduits par le jeune Bonaparte, les Français en avaient occupé le delta et la vallée jusqu'à la première cataracte (1798-1801). XVIII, V, II.

ÉLIDE. Pierre Albouy soupçonne ici une confusion entre l'Élide, ancienne province du Péloponnèse, et la ville d'Élée, la ville des Éléates, de Parménide et de Zénon. XVIII, V, II.

ÉLIE. Prophète suscité par Dieu pour détourner les Israélites du culte de Baal-Astarté. Persécuté par Jézabel, il se retira sur le mont Horeb. XVIII, V, I.

ENCELADE. Un des géants qui firent la guerre aux dieux. Emprisonné par Zeus sous l'Etna. VIII.

ÉPICURE. Disciple de Démocrite, précurseur de la physique, inspirateur de Lucrèce. « Professeur de volupté » selon Sénèque, mais des plus sobres : « Mon corps est saturé de plaisir quand j'ai du pain et de l'eau. » IV, X ; XVIII, V, I.

ÉRÈBE. Fils du Chaos et de la Nuit, précipité par Zeus dans le Tartare. Séjour provisoire des morts, le temps d'y expier leurs fautes. IV, VIII.

ÉRYMANTHE. Rivière d'Arcadie, où Hercule poursuivit et tua un terrible sanglier. IV, VIII.

ÉSON. Père de Jason, rajeuni, à la demande de son fils, par les philtres de Médée. XVIII, V, II.

ÉSOPE. Conteur bègue et bossu à qui l'on attribue l'invention des fables. IV, II.

ESPAGNE. Cadre des « enfances Hugo ». Pays d'Hernani et de Ruy Blas, où s'enracine aussi la *Légende des siècles*. Victor y vit poindre « l'aube divine de l'amour ». IX.

ÊTRE EFFRAYANT (L'). IV, VIII.

EUCLIDE. Un des maîtres du « calcul », symbole chez Hugo de la complication et des ambitions jamais satisfaites de l' « esprit humain ». IV, V ; XVIII, V, III.

EUROPE. Continent malheureusement voué à la perpétuation des espèces monarchiques, au règne de la « bête féodale », après avoir été un moment « tordu » par les armées révolutionnaires de l'Argonne et du Rhin. « La Révolution française ne me suffit plus, il me faut la Révolution d'Europe » (à Jules Hetzel, 24 décembre 1853).

ÉVANDRE. Fondateur, venu d'Arcadie, de la ville de Pallantée, au pied de l'Aventin. Dans *L'Énéide*, allié d'Énée contre les Latins. Passe surtout pour avoir introduit au Latium l'alphabet et l'agriculture. IV, I.

ÈVE. XV, VII ; XVIII, V, III.

ÉZÉCHIEL. Un des « génies » de la « région des Égaux ». Un des quatre grands prophètes de l'Ancien Testament. Annonciateur des plus terribles châtiments pour les ennemis des Juifs, mais aussi de la délivrance et de la venue du Messie. IV, II ; XVIII, V, I.

FLORIAN (Jean-Pierre-Claris de), 1755-1794. Petit-neveu de Voltaire. Auteur dramatique, poète et romancier, cité ici comme l'auteur des *Fables* (1782). IV, II.

FORÊT-NOIRE. « Tantôt forêt lugubre d'Albert Dürer, tantôt forêt sinistre de Salvator Rosa. » Théâtre d'opérations de Schinderhannes. En 1871, les manifestants de la place des Barricades semblaient sortis d'un « crépuscule de Forêt-Noire ». XI.

FOUGÈRES. Ville natale de Juliette Drouet, au pays des fougères, des dolmens et des druides. Une des plus belles ruines féodales de Bretagne, visitée par Hugo en 1836. III, II.

FRANCE. VI, II ; XV, I ; XVI, II ; XVIII, I.

FRAYSSINOUS (Denis, comte de), 1765-1841. Évêque *in partibus* d'Hermopolis (1822), académicien et grand-maître de l'Université sous la Restauration. Il avait participé, en 1824, aux manœuvres qui aboutirent au renvoi de Chateaubriand et au sabordage de *La Muse française*. IV, IV.

GALLIFFET (Gaston, marquis de), 1830-1903. Officier d'ordonnance de Napoléon III, il conduisit la charge à Sedan avant de participer sauvagement à la répression de la Commune. Expert en manœuvres de cavalerie. IV, V.

GAULE. Citée ici pour avoir « enfanté » la France. XVI, II.

GENGIS-KHAN, 1154-1227. Fondateur du premier empire mongol, dont les limites allaient de la Caspienne à la Corée, de Kaboul au Baïkal. XVIII, V, III.

GEORGES. Voir Georges HUGO.

GETHSÉMANI. Village de l'ancienne Palestine, sur une colline près de Jérusalem, où se trouvait le Jardin des Oliviers. XVIII, V, I.

GRÈCE. Patrie de l'art européen, dont le principe est l' « idée », en face de l'art oriental, voué au « chimérisme ». C'est aussi, depuis la guerre d'Indépendance contre les Turcs, le symbole du droit des

peuples à l'autonomie, la caution politique du byronisme littéraire.
IV, ii ; XVIII, v, i.

GUERNESEY. Terre d'exil devenue la vraie patrie de Victor Hugo
après l'expulsion de Bruxelles, en 1871. I.

GUIGNOL. Personnage principal des *pupazzi* français, né à Lyon, où le
nom de Guignol (ou Chignol) désignait une figure de *canut*. VII.

HADÈS, Fils de Chronos et dieu des enfers, ou le séjour des morts lui-
même. IV, viii.

HAINE. « Vieille âme du vieux Caïn. » XVIII, iv.

HECTOR. Fils de Priam et d'Hécube, époux d'Andromaque et père
d'Astyanax. Un des principaux héros troyens de l'*Iliade*, qui se
termine par le récit de ses funérailles. XV, ix.

HERCULANUM. Ville de Campanie, ensevelie en 79 par une éruption
du Vésuve. Redécouverte en 1711. XV, ix (pluriel générique).

HERCULE. Héros grec, le seul, dit Michelet, dont les exploits soient
des *travaux* : « C'est la consolation des foules opprimées d'opposer
la grandeur du misérable et de l'esclave à la sévérité des dieux, un
Hercule à un Jupiter. » (*La Bible de l'Humanité*, 1864). IV, viii ;
XIII, iii.

HERMÈS. Fils de Zeus et de Maïa, messager des dieux. Inventeur de la
lyre et psychopompe, il guida Hercule vers les Enfers et en ramena
Orphée et Alceste. IV, x.

HÉSIODE. Poète grec, plus ou moins contemporain d'Homère, auteur
d'une *Théogonie* et d'un poème sur l'agriculture, *Les Travaux et les
Jours*, où l'on passe de la science des dieux à celle de la nature.
XVIII, v, i.

HIMALAYA. Permit un temps de mesurer la bêtise de Victor Hugo.
XV, iv.

HOCHE (Lazare), 1768-1797. Sorti du peuple, général en chef à vingt-
cinq ans, pacificateur de la Vendée. Sa disparition laissa le champ
libre à Bonaparte. XV, ix.

HOMÈRE. Père aveugle (comme sera Milton) de la poésie. L'un des
« génies » de la « région des Égaux ». IV, ii ; IV, vii ; IV, viii ;
XVIII, v, ii.

HORACE (65-8 av. J.-C.). Poète latin. Preuve toujours vivante, selon
Hugo, de l' « utilité du beau », offusquée par les pédants (*Contemplations*, I, xiii). XV, iv ; XVIII, iii.

HOREB. Montagne de l'Arabie pétrée, au nord-ouest du Sinaï. Moïse
y vit Dieu dans un buisson ardent et fit jaillir l'eau d'un rocher.
XVIII, v, ii.

HUGO (Adèle). L' « Adèle H » de François Truffaut, fille cadette de
Victor Hugo, née en 1830. Elle avait quitté le domicile familial en
1863. Séjour au Canada, puis à la Barbade, d'où elle regagna la
France en 1872. Internée à Saint-Mandé jusqu'à sa mort, en 1915.
I, vi.

IXION. Grand criminel de l'enfer grec, foudroyé par Zeus pour s'être vanté de l'avoir déshonoré avec Héra, condamné à tourner éternellement, attaché à une roue enflammée. VIII ; XIII.

JANUS. Dieu latin au double visage, dont le règne avait correspondu à l'âge d'or du Latium. IV, VIII.

JAPHET. Fils de Noé, frère de Sem et de Cham. Prodigua à son père, surpris par l'ivresse, les marques du respect. On a rapproché son nom de celui de *Japet*, père de Prométhée. IV, X ; VI, X.

JARDIN DES PLANTES. Ancien Jardin du Roi, sous l'intendance de Buffon, transformé par décret de la Convention en *Muséum national d'histoire naturelle,* le 10 juin 1793. IV.

JASON. Fils d'Éson, chef de l'expédition des Argonautes. Il rapporta de Colchide la Toison d'or. C'est le patron, à ce titre, des navigateurs. I, VI.

JAUFFRET. Chef de l'institution où Charles Hugo fut pensionnaire lorsqu'il était élève du collège Charlemagne. VIII.

JEAN DE PAU. X, I.

JEAN-JACQUES. Voir ROUSSEAU.

JEANNE. Voir Jeanne HUGO.

JÉHOVAH. « Celui qui était, qui est et qui sera. » Nom du dieu des Juifs, révélé à Moïse lors de la vision du Buisson ardent. IV, IX ; VI, X ; XVIII, V, II-III.

JÉSUS-CHRIST. Dieu et fils de Dieu pour les Chrétiens, condamné par les docteurs de la loi et crucifié sous Tibère. Éternellement en agonie, selon Pascal et Victor Hugo. VI, X ; XIII, IV ; XV, VI ; XVIII, IV.

JOB. L'un des « génies » de la « région des Égaux ». Éprouvé par Dieu, il perdit ses enfants et ses biens. Il invoquait Dieu depuis le fumier sur lequel il gisait : « Dieu m'a donné, Dieu m'a ôté, que le nom de Dieu soit béni ! » C'est aussi un personnage des *Burgraves* (1843), l' « aïeul puni dans sa postérité ». I, II ; IV, IV ; IV, V ; IV, X ; XVIII, V, II.

JOCRISSE. Type de la « naïveté obstinée » et de la « niaiserie excentrique ». Les enfants Hugo avaient pris plaisir à voir rosser le « jocrisse » de Bobino en costume de valet, que son maître battait « sur toutes les coutures, aux endroits les plus malhonnêtes ». XI ; XV, IX.

JUDAS (ISCARIOTE). Il livra Jésus pour trente deniers et se pendit. La somme servit aux prêtres pour acheter le « champ du potier » afin d'y donner sépulture aux Gentils. VI, IV.

JUPITER. Roi des dieux de la mythologie romaine. Dans *La Légende des siècles,* le Satyre de Hugo le fait mettre à genoux. I, IV ; XVIII, V.

JUVÉNAL, 42-125. Poète latin de la « région des Égaux », auteur de *Satires* qui en appellent au tribunal de la conscience contre

l'idéologie du fait accompli (voir « A Juvénal », *Châtiments*, VI,
XIII). VI, IV ; VIII.

KANT (Emmanuel), 1724-1804. Philosophe compliqué, témoin,
comme Euclide, des ambitions jamais satisfaites de l' « esprit
humain ». XVIII, V, III.

LAFFEMAS (Isaac), 1589-1650. Un des commissaires extraordinaires
chargés par Richelieu de réprimer la Fronde des nobles. Victor
Hugo lui avait fait jouer un rôle odieux dans *Marion Delorme*
(1831). XVIII, IV (pluriel générique).

LA FONTAINE (Jean de), 1621-1695. L'anti-Racine, au musée imaginaire de Victor Hugo. IV, II.

LAHARPE (Jean-François Delaharpe, dit de), 1739-1803. Auteur d'un
Cours de Littérature (1799), rédigé d'après les leçons données au
Lycée de la rue Saint-Honoré. Un des « bornes » de la critique
dogmatique. IV, I.

LATUDE (Jean-Henry, dit Danry, dit de), 1725-1805. Aventurier
plusieurs fois évadé de Vincennes et de la Bastille. La légende avait
fait de lui une victime de l'absolutisme royal. VIII.

LAZARE. Ils sont deux : le pauvre couvert d'ulcères et sanctifié par
Abraham, qui a donné son nom aux lépreux (*ladres*) et à leur
hôpital, devenu prison pour femmes ; l'autre, frère de Marthe et de
Marie, est le ressuscité qu'évoque la liturgie de l'office des morts.
Auguste Barbier en avait fait le symbole du prolétariat anglais
(*Lazare*, 1837). VI, X.

LE NÔTRE (André), 1613-1700. Choisi par Fouquet pour dessiner le
parc de Vaux-le-Vicomte, puis nommé par Louis XIV intendant
des jardins royaux, il est l' « auteur » du parc de Versailles, contre-
exemple pour Hugo, en 1826, de l'« ordre naturel », celui des
forêts du Nouveau-Monde. IV, VII.

LERNE. Marais de l'ancienne Grèce, sur la frontière de l'Argolide et
de la Laconie. Hercule y tua l'hydre aux sept têtes. IV, VIII.

LETELLIER (Michel LE TELLIER), 1603-1685. Secrétaire d'État, chancelier et garde des Sceaux, il mourut peu de jours après avoir signé
la Révocation de l'Édit de Nantes. XVIII, IV.

LÉVIATHAN. Monstre biblique, signe, avec Béhémoth, de l'absolu
pouvoir de Dieu. C'est aussi le nom du navire construit en 1853 par
l'ingénieur Brunel, symbole de la révolution scientifique et tech-
nique, dont *Pleine mer* (*La Légende des siècles*, 1859) décrit
l'épave, celle, en fait, du « vieux monde », « âpre et démesuré
dans sa fauve laideur », IV, VII ; IV, VIII.

LILLIPUT. Ses habitants mesurent une quinzaine de centimètres, au
dire de Daniel de Foe et de son Gulliver. XV, IV.

LOUVOIS (François-Michel Le Tellier, marquis de), 1641-1691. Fils
du chancelier Le Tellier, secrétaire d'État à la Guerre sous
Louis XIV, responsable de la dévastation du Palatinat (1689) et
organisateur des dragonnades contre les protestants. XVIII, IV.

POLICHINELLE. Personnage comique à deux bosses et au nez crochu, frère aîné du *Pulcinella* napolitain. Principal acteur d'un intermède du *Malade imaginaire*, héros, au XVIIIe siècle de nombreuses parades du Théâtre de la Foire. Au XIXe siècle, Paris compte encore deux Polichinelles célèbres, à l'Opéra et à la Porte-Saint-Martin. VII.

POMPÉI. Ville ancienne de Campanie, au sud de Naples, ensevelie en 79 par une éruption du Vésuve. Redécouverte en 1748. XV, IX (pluriel générique).

PORTIQUE. Nom donné à l'École des Stoïciens, parce que leur chef enseignait sous un Portique d'Athènes. XVIII, V, II.

PROCOPE. Café parisien fréquenté par Voltaire et, sous le second Empire, par Gambetta. IV, V.

PUCELLE. Jeanne d'Arc, dite « la Pucelle d'Orléans », héroïne d'une épopée comique de Voltaire (1762). VI, X.

PUCK. Génie espiègle et parfois bienfaisant à qui Shakespeare a donné un rôle dans *Le Songe d'une nuit d'été*. II.

PYRAMIDE(S). Au singulier, temple ou tombeau, selon les pays. Au pluriel, victoire de Bonaparte en Egypte (1798). XV, IV; XV, IX.

PYTHAGORE. Philosophe mystique et mythique de l'ancienne Grèce, réincarnation, pour certains, d'Apollon, théoricien des nombres et de leur multiplication, découvreur de l'identité de l'étoile du soir et de l'étoile du matin. IV, X.

QUARANTE (LES). Les « immortels », membres de l'Académie française. IV, VII.

QUICHOTTE (DON). Chevalier à la triste figure qui rend ici les ânes lyriques. IV, V.

QUIRINAL. Une des sept collines de Rome, du nom du dieu Quirinus. IV, IV.

RABELAIS (François), 1483-1533 ? Un des « Égaux », après Dante : « Cet univers que Dante mettait dans l'Enfer, Rabelais le fait tenir dans une futaille » (*William Shakespeare*). IV, I.

RAYMOND. X, I.

RÉAUMUR (René-Antoine Ferchaud de), 1683-1757. Physicien et naturaliste dont le nom reste attaché au thermomètre qu'il avait construit. IV, V.

RHÉA. Déesse identifiée avec Cybèle, épouse de Saturne. Sachant qu'il devait être détrôné par un de ses fils, Saturne voulait que pas un ne vécût. Rhéa, à chaque naissance, lui remettait une pierre enveloppée d'un lange. IV, I; IV, VIII.

RHIN. Théâtre d'opérations du brigand Schinderhannes et des armées de la Révolution. XV, IX.

RIEN. IV, VIII.

ROLAND. Héros de la geste de Charlemagne dont l'évocation prend ici le sens, après 1870, d'un appel à la revanche. X, I.

Rome. Ici (I, vi) pour Avellino et le Royaume de Naples, où Mme Hugo et les enfants avaient rejoint Léopold en 1807. C'est aussi la ville de Juvénal (VIII), et celle du Pape (VI, ii ; VI, iv ; XV, ix ; XVIII, v, ii). Voir Paris.

Rosbach. Victoire de Frédéric II de Prusse sur l'armée franco-allemande (5 novembre 1757). Napoléon fit renverser, en 1806, la colonne destinée à commémorer l'événement. XVIII, i.

Rousseau (Jean-Jacques), 1712-1778. Frère ennemi de Voltaire. La mort devait les réconcilier dans l'espèce de « puits perdu » — et la chaux vive — où les Bourbons restaurés firent jeter leurs ossements. « Fauteur » de Robespierre, — et de la mort de Gavroche. XVIII, ii.

Sabaoth. Jéhovah en dieu des armées. VI, x.

Sahara. IV, vii.

Saint-Leu. Séjour d'été de la famille Hugo en 1840, 1841, 1842, au château de la Terrasse, puis à Saint-Prix, sur la lisière sud de la forêt de Montmorency. (*Contemplations*, I, iii et vi ; V, ix). XIV.

Saint-Pierre. L'église de Saint-Pierre-Port, à Guernesey. Voir Pierre (saint). I, xi.

Satan. Ange révolté et déchu, dont Victor Hugo n'en finit pas de raconter la « fin ». L'Ange Liberté est né d'une plume de son aile (blanche). Le plus souvent nommé dans *L'Art d'être grand-père*, après Dieu, Georges et Jeanne. I ; II ; IV, viii ; IV, ix ; V ; VI, iv ; XVI, ii ; XVIII, i ; XVIII, iv ; XVIII, v, iii.

Scapin. Valet fourbe de l'ancien théâtre italien, de la famille des Zani. Naturalisé français par Molière. XV, i.

Scaramouche. Personnage vêtu de noir de l'ancien théâtre italien, dont les emplois tiennent du Matamore et de l'Arlequin. Moustache en virgule et guitare au côté. IV, vii.

Schinderhannes (Jean Buckler, dit), 1779-1803. Célèbre « écorcheur » des bords du Rhin, dont la bande fut exterminée sous le Directoire. XI.

Sénégal. Son développement, sous Faidherbe, date de 1854. Antithèse de la Sibérie. IV, v.

Sepher. Pour : Sophar. Un des trois amis venus consoler Job, qui ne le compare jamais à un serpent. IV, iv.

Shakespeare (William), 1564-1616. Le Victor Hugo anglais, admis de droit dans la « région des Égaux ». Traduit par François-Victor Hugo (1859-1865). XVIII, v, ii.

Sibérie. C'est encore, au xixᵉ siècle, une colonie de l'empire russe, qui n'avait reçu qu'en 1783, de Catherine II, sa première organisation politique. Terre de chamanes et de prospection minière. Antithèse, ici, du Sénégal. IV, v.

Sinaïque. XVIII, v, ii.

Sisyphe. Maudit de l'enfer grec, condamné à rouler sur la pente d'une montagne un rocher qui toujours retombait. XIII, i.

SOCRATE, 468-399 av. J.-C. Philosophe athénien condamné à mort et exécuté par la ciguë, équivalent profane de Jésus, conformément au lieu commun dit de la *confirmatio christianorum per socratica*. XVIII, v, ii.

SODOME. Ville de la Bible célèbre par sa richesse, ses mœurs coupables et sa destruction. I, iv (pluriel générique) ; XVIII, iii (*id.*).

SORBONNE. Lieu de culte, d'enseignement et de recherche dont l'existence se perpétue de 1257 à nos jours, au plus près du Panthéon. IV, i.

SPINOSA (Baruch), 1632-1677. Philosophe clandestin et républicain à sa manière, pionnier, comme Richard Simon, de la critique philologique des Écritures. Sa philosophie a pu passer pour une forme achevée de panthéisme : il n'y a entre Dieu et le monde qu'une différence de point de vue. VI, x.

STÉSICHORE, 640-550 ? av. J.-C. Poète lyrique grec dont on ne connaît que le surnom : « Maître de chœur ». Inventeur de la triade strophique (strophe-antistrophe-épode). Devenu aveugle pour avoir parlé d'Hélène avec irrévérence, il recouvra la vue après rétractation. XVIII, v, ii.

STYMPHALE. Lac en Argolide, entre Argos et Corinthe. Hercule y vint à bout des oiseaux qui l'infestaient. IV, viii.

SUZON. Diminutif de Suzanne. Dans la Bible, surprise au bain par deux vieillards et faussement accusée d'adultère ; dans Beaumarchais, fiancée de Figaro et désirée par le comte, leur maître. X, iv.

SWEDENBORG (Emmanuel), 1688-1772. Théosophe cosmopolite dont une « voix » du poème *Dieu* fait un « ivrogne » de la vision. Il s'égare ici dans la lune, comme un « lunatique ». III, iv.

SYLLABUS. Catalogue des erreurs de notre temps publié sur l'ordre de Pie IX à la suite de l'encyclique *Quanta cura*, le 8 décembre 1864. Sont visés : panthéisme, naturalisme, rationalisme, indifférentisme, socialisme, communisme... VI, x.

TANTALE. Roi de Lydie. Voleur de nectar et d'ambroisie, ravisseur de Ganymède, assassin de Pélops, son fils, dont il servit les restes en festin aux dieux. Condamné à être attaché à un arbre chargé de fruits au milieu d'un lac sans pouvoir satisfaire sa faim ni sa soif. VIII.

THALÈS. Un des créateurs de la physique, de l'astronomie, de la géométrie. Célèbre pour avoir prédit une éclipse de soleil. Son système rapportait tout à la présence de l'eau dans l'univers. IV, x ; XVIII, v, i.

THÈBES. La ville aux cent portes, en Haute-Egypte ou Thèbes, en Béotie. Œdipe en fut proclamé roi après être venu à bout de déchiffrer les énigmes du Sphynx. Il épousa alors Jocaste, sa mère. IV, viii ; XV, iv.

THÉOCRITE. Poète grec, inventeur à toutes mains de chansons, mimes dialogués, monologues amoureux, petites épopées, bergerades...

Victor Hugo venait de lui consacrer un poème dans le « groupe des idylles » (*Légende des siècles,* nouvelle série). I, IX.

THÉSÉE. Roi légendaire d'Athènes, aux multiples « travaux ». Ariane l'aida à vaincre le Minotaure. Descendu aux enfers pour y enlever la femme d'Hadès, il y demeura enchaîné jusqu'à ce qu'Hercule vînt le délivrer. XIII, I.

TIBÈRE, 42 av. J.-C.-37 ap. J.-C. Successeur d'Auguste, débauché et cruel. Il régnait au moment de la condamnation de Jésus-Christ. XVIII, V, III.

TISIPHONE. Une des Erinnyes, chargée de punir les coupables à leur arrivée aux enfers, armée de serpents horribles. IV, VIII.

TITANIA. Reine des fées dans *Le Songe d'une nuit d'été* de Shakespeare. II.

TOINON. Diminutif d'Antoinette. Toinette est la servante d'Argan dans *Le Malade imaginaire.* X, IV.

TOMBOUCTOU. La « mystérieuse », au nord-ouest du coude du Niger, traversée par René Caillé en 1828, revisitée par Barth en 1858. IV, IV.

TORQUEMADA. (Fray Tomás de), 1420-1498. Dominicain espagnol et Inquisiteur général, principal responsable, en 1492, de l'expulsion des juifs, il condamna au feu plus de huit mille personnes. « Pour les uns, c'est un sanguinaire, le bourreau par nature ; pour les autres, c'est le visionnaire, le bourreau par pitié », dit Hugo dans la préface du drame qui porte son nom ([1869], 1882). XVIII, IV.

TOUT. IV, VIII.

TRUBLET (Nicolas), 1687-1770. Ecclésiastique et académicien ridiculisé par Voltaire dans la satire du *Pauvre diable.* VII ; XV, VII.

TUILERIES. Résidence royale et impériale entre Louvre et Champs-Élysées, prise d'assaut le 10 août 1792, incendiée le 23 mai 1871, citée ici pour ses jardins, dessinés par Le Nôtre en 1664. VII ; XV, VIII.

TYPHLOS. L' « Aveugle ». On ne connaît pas de pilote de ce nom, associé ici à ceux de Jason et de Palinure. On observera seulement que la cécité ne prédispose guère au pilotage, sinon par référence à la « voyance » de Tirésias, d'Homère ou de Milton. I, VI.

TYPHON. Fils du Tartare et de la Terre, chef des Titans dans la guerre contre les dieux. Foudroyé par Zeus et enseveli sous l'Etna. XIII, IV.

TYR. Ville de Phénicie, capitale du commerce maritime de l'ancien monde, avec sa colonie Carthage. IV, IV.

ULM. Victoire de Napoléon sur le Danube, le 17 octobre 1805. XV, V.

VÉNUS. Déesse de l'amour, étoile du matin, « stella matutina », la Vierge dans la liturgie mariale. Quelque chose comme l'ange *Liberté* dans *Stella* (*Châtiments,* VI, XV). IV, VI.

VEUILLOT (Louis), 1813-1883. Journaliste passé de la littérature légère à l'ultramontanisme par une éclatante conversion en 1838.

Rédacteur en chef de *L'Univers.* Un des plus féroces adversaires de Hugo depuis *Le Rhin.* VI, x.

VIENNE. Ville de congrès (1809, 1815), capitale de l'Autriche et de la Sainte-Alliance. L'équivalent, face à Paris, de Rome et de Berlin (voir ces noms). VI, II.

VIENNET (Jean-Pons-Guillaume), 1777-1868. Officier sous l'Empire, plusieurs fois prisonnier, décoré à Lutzen (1813), polémiste et académicien, adversaire acharné du romantisme. IV, v.

VIERGE. Marie, mère de Jésus. VI, x ; VII (épigraphe).

VOLTAIRE (François-Marie Arouet), 1694-1778. « Singe de génie/ Chez l'homme en mission par le diable envoyé » (*Les Rayons et les Ombres,* IV). Idole de la bourgeoisie libérale ralliée à l'ordre impérial. Son image fait toutefois l'objet, chez Hugo, d'une rectification progressive jusqu'à l'apothéose républicaine du Centenaire (30 mai 1878), rectification qu'accompagne une tendance à l'identification projective : « Tu rentreras comme Voltaire/Chargé d'ans en ton grand Paris » (*Toute la lyre,* V, 52). Associé ici à Jésus-Christ (VI, x). VI, x ; XV, IV ; XVIII, II ; XVIII, v, III.

VOUGLANS (Muyart de). Criminaliste français du XVIIᵉ siècle. XVIII, IV (pluriel générique).

WATERLOO. « Le 18 juin 1815, Robespierre à cheval fut désarçonné » (*Les Misérables,* II, I, XVII). XVIII, I.

YAK. Le plus gros de tous les bovinés, cantonné aux montagnes de l'Asie centrale. Sa taille lui vaut ici une majuscule. VI, VIII.

YVON (maître). III, II.

ZOROASTRE. Le Moïse des Perses. IV, VII.

ZÉNITH. XVIII, v.

NOTES

1. Pierre Albouy a attiré l'attention sur l'organisation cyclique de cette première section, dont le dernier poème *(XII. Un manque)*, poème de la mort, répond au premier, poème de l'exil *(I. L'exilé satisfait)*. On peut y suivre aussi la progression chronologique d'un séjour imaginaire des enfants à Guernesey.

2. Plus loin (IV, 5) « Dieu sourit ». Dans *Les Contemplations*, « Satan l'envieux rêve » cependant que « Dieu regarde » (I, 4 ; VI, 10).

3. « Vainqueur, mais vaincu. » Jean Massin suggère un rapprochement avec le jeu de mots : *Leo victor victus leoena*, « le lion vainqueur est vaincu par la lionne », inscrit au bas d'un dessin offert à Léonie Biard.

4. Abel (1798-1855) et Eugène (1800-1837) Hugo. Victor Hugo avait d'abord écrit : « Mon frère Eugène », mort en 1837 à l'asile de Charenton.

5. « Le murmure de l'enfant, c'est plus et moins que la parole : ce ne sont pas des notes et c'est un chant ; ce ne sont pas des syllabes et c'est un langage ; le murmure a eu son commencement dans le ciel et n'aura pas sa fin sur terre ; il est d'avant la naissance et il continue, c'est une suite. Ce bégaiement se compose de ce que l'enfant disait quand il était ange et de ce qu'il dira quand il sera homme ; le berceau a un Hier de même que la tombe a un Demain ; ce demain et cet hier amalgament dans le ciel et se gazouillement obscur leur double inconnu ; et rien ne prouve Dieu, l'éternité, la responsabilité, la dualité du destin, comme cette ombre formidable dans cette âme rose » *(Quatrevingt-Treize*, III, 3, 3, à propos de Gros-Alain, Georgette et René-Jean).

6. Renversement de la formule virgilienne : *Sunt lacrymæ rerum (Enéide*, I 462) : « il y a des larmes pour l'infortune ». C'est le titre d'un poème des *Voix intérieures* II). Ici : « la joie qui est dans les choses ». —Fragment d'un poème un moment destiné aux *Chansons des rues et des bois*, dont la fin a été publiée sous le titre : *Printemps* (voir p. 186). Ajoutée en marge, la dernière strophe de *Lætitia rerum* fait le lien avec *L'Art d'être grand-père*.

7. Rédaction antérieure : *A la pourchaine, mess. A bétot, vésin Pierre.*

8. Celui du premier-né de Charles Hugo, emporté à moins d'un an par une méningite, le 14 avril 1868. Georges est un « revenant » (voir *Les Contemplations*, III, 23).

9. Poème un moment destiné, comme *Lætitia rerum*, aux *Chansons des rues et des bois*.

10. Viennent ensuite dans le manuscrit ces vers rayés par Hugo :

> L'empire fut jadis fort joyeux ; Mérimée
> Tenait des cours d'amour sous la verte ramée
> Espérant voir peut-être aux flots se confier

> Les blanches nudités dont il était greffier ;
> Au fond César songeait sur sa statue équestre ;
> La chose est dédiée aux vieillards de l'orchestre...

Pierre Albouy a montré que ce paradis suave « orné de loups » est à l'image, en
effet, des « cours d'amour » qui se tenaient sous l'Empire. Victor Hugo leur
avait consacré un poème des *Nouveaux Châtiments* (voir p. 178), dont Pierre
Albouy cite cette ébauche :

> En attendant Sedan, on contemplait cela ;
> Eh ! bien, moi je préfère à ces spectacles-là
> Tout beaux qu'ils sont, l'enfant admirant la pyrrhique
> Du macaque à l'œil jaune et du babouin lyrique ;
> Et la cage aux guenons où Priape est complet
> Plus que les à-peu-près de Compiègne me plaît ;
> L'âme, après avoir vu l'atrocité moyenne,
> Tous ces bouffons donnant des conseils sur Cayenne,
> Ces Mérimée, avec ces Suins et ces Parieux,
> Se repose au milieu des tigres sérieux...

11. Le mot est enregistré par Hugo sur son agenda à la date du 12 juin 1874 :
« Si l'éléphant crache sur moi ou me tape avec son nez, tu le gronderas. »

12. « Double-marcheur », dont la queue est aussi grosse que la tête, ce qui
permet à cette sorte de serpent de marcher aussi bien dans un sens que dans
l'autre.

13. Titre antérieur : *Où l'on continue de dire son fait à Dieu.* Victor Hugo se
souvient ici des leçons de l'âne Patience (*L'Ane*, [1857]).

14. Ce poème n'a d'abord fait qu'un avec le poème IV : *A Georges.*

15. Ce tigre-roi en son Louvre est évidemment un souvenir de la « Majesté
lionne » de La Fontaine (*La Cour du lion*, VII, 6).

16. Figure habituelle de l'Anankè chez Victor Hugo.

17. Daté sur le manuscrit du 25 décembre 1875, « Noël ». On rapprochera
de la « bonne nouvelle » du dernier vers.

18. Cette division correspond au besoin d'équilibrer le recueil par une série
de poèmes en trumeaux, à laquelle fait écho plus loin la section X : *Enfants,
oiseaux et fleurs.*

19. Poème en rimes uniquement féminines.

20. Épisode documenté par une note des agendas : « 23 mars [1877].
Mariette a par accident cassé le couvercle du très curieux vase de porcelaine
flamande (style Louis XVI) qui est sur ma cheminée et où sont les lettres de
J. J. [Juliette Drouet]. Jeanne était là, elle a vu Mariette désolée, et lui a dit :
N'aie pas peur. Dis que c'est moi. Papapa ne dira rien. » Le poème est du
4 avril. — Le pot flamand est devenu vase de Chine, conformément à un *topos*
qui autorisait à voir la Hollande comme la Chine de l'Europe. Les styles
flamand et chinois mais aussi rococo (Louis XVI) coïncident en une image de
l' « art chimérique » spécifique de la Chine (voir ce nom à l'Index). On
pourrait aussi commenter l'événement en citant la constatation faite ailleurs
que « la vieille Hollande chinoise n'existe plus »...

21. Dès son élection au Sénat, Victor Hugo avait déposé, le 21 mars 1876, un
projet de loi d'amnistie en faveur des Communards, rejeté le 22 mai. Le
27 octobre, Gambetta écartait publiquement le principe d'une amnistie totale,
qualifiait la Commune d' « insurrection criminelle » et ridiculisait les exilés de
1851.

22. L'enfer chrétien, mais aussi la fournaise contre-révolutionnaire allumée
par le marquis de Lantenac, où les petits Fléchard avaient failli périr, dans
Quatrevingt-Treize.

23 Proclamation déiste d'allégeance au Dieu des Lumières, celui de
Voltaire

24. Version « chimérique » de la doctrine dont s'inspire *La Fin de Satan*.

25. Pierre Albouy renvoie à l'article de *L'Univers* dans lequel Louis Veuillot avait expliqué que les inondations qui venaient de ravager la région de Toulouse en ce mois de juin 1875 étaient un fléau envoyé par Dieu pour punir les Français de leur manque d'empressement à aider matériellement l'Église. Hugo riposta par *L'Élégie des fléaux* (*Légende des siècles*, 1877, XXII). Voir, dans le même sens l'allusion, un peu plus loin, au denier de saint Pierre, et l'Index, *s.v.*

26. Double référence à l'Immaculée Conception et à la façon dont Dieu, le Père, passe pour avoir engendré le Fils. — Mgr Dupanloup s'efforça, dès 1869, d'établir la sainteté de Jeanne, béatifiée en 1914 et canonisée en 1920.

27. Il faut lire ces deux vers en pensan* au récit de la Genèse.

28. Charles Hugo. Autres titres : *L'Enfance de leur père. Le Pensum. Le Collège*. Poème ébauché aux alentours de 1840 et probablement achevé vers la fin de l'exil. Voir, dans le même esprit, le *Discours sur les avantages de l'Enseignement mutuel* (1819) et, dans *Les Contemplations* (I, 13), *A propos d'Horace*.

29. Fragment d'un ensemble (*Toute la vie d'un cœur* ou *Toute l'histoire d'un vieux cœur* ou *L'Histoire de tous les cœurs*) prévu un temps comme ne devant pas compter moins de onze poèmes, (voir p. 180). Quatre d'entre eux furent un moment prévus pour figurer dans *L'Art d'être grand-père* : 1811, 1817, 1820, 1825. Celui-ci relève d'un véritable cycle de Pepa-Pepita-Lise, où « fusionnent les souvenirs de Bayonne et de Madrid » (Jean Massin) ; voir le récit du *Victor Hugo raconté*, chapitre XVI : « Une idylle à Bayonne », et le récit du voyage aux Pyrénées (1843). Dans *Le Dernier Jour...*, le condamné raconte aussi ses amours avec « une Andalouse de quatorze ans, Pepa » (1829).

30. Voir ci-dessus, n. 18.

31. Ce poème est par sa date (7 octobre 1846) contemporain des premiers poèmes de *La Légende des siècles* : *Aymerillot, Le Mariage de Roland*.

32. Transposition en première personne d'un poème écrit d'abord à la troisième personne.

33. Autre titre : *Dans le jardin de Hauteville House*.

34. « Prie, aime. » Titre antérieur : *Soir d'été*, rectifié sur épreuves.

35. Titre antérieur : *Ce qui délivre effraie*.

36. *Jeanne lapidée* a pris la place de : *A des âmes envolées*, finalement appelé à succéder à *L'Épopée du lion*. — Le 26 mai 1871, le gouvernement belge avait déclaré indésirables et « mis au ban de toutes les nations civilisées » les vaincus de la Commune. Le 27, dans une lettre ouverte à *L'Indépendance belge*, Victor Hugo leur offrait l'asile, « Place des Barricades, n° 4 ». Dans la nuit du 27 au 28, une troupe de fils de famille manifesta sous ses fenêtres aux cris de : « A mort Victor Hugo ! » A la suite de quoi Victor Hugo fut décrété d'expulsion. Un poème de *L'Année terrible* est consacré à l'« incident belge ». Mais on se reportera surtout au récit en prose de la préface d'*Actes et paroles. Depuis l'exil* (« Paris et Rome », § IV), préface datée de « Paris, juin 1876 », et très certainement contemporaine du poème de *L'Art d'être grand-père*, que je date du 23 avril [1876].

37. Référence implicite à Virgile (*Bucoliques*, IV, 3) : *... sylvæ sint consule dignæ* (« que les bois [la poésie bucolique] soient dignes d'un consul »). Autrement dit : *paula majora canamus*, « élevons un peu le ton », celui du onte auquel il s'agit de donner ici la dimension « épique ». — *L'Epopée du lion* est datée sur le manuscrit du 29 septembre [1874], « jour anniversaire de Jeanne ». La *IVe Bucolique* est aussi un chant de naissance.

38. Titre antérieur : *Mes morts*. Il s'agit de Léopoldine et de Mme Victor Hugo, enterrée à Villequier le 30 août 1868. Voir, dans *Les Voix intérieures*, le poème *A des oiseaux envolés* : « Enfants ! Oh ! revenez... »

39. « Gloire à l'enfance », opposée ici au spectacle que donnent les « pères pourris ».

244   L'ART D'ÊTRE GRAND-PÈRE

40. A droite du titre, dans le manuscrit, un point d'interrogation. Ce poème est contemporain (31 mai 1875) de la pièce du 27 mai, finalement réservée et publiée dans *Toute la lyre* (II, 43) : *O Rus!* (voir p. 177). Elle figure, suivie de la mention : « Dupanloup ? », sur une liste provisoire de poèmes destinés à *L'Art d'être grand-père*. Un brouillon donne ensemble la quatrième strophe de *O Rus!* avec la troisième et la dernière strophe du *Syllabus*.

41. Poème un moment destiné aux *Chansons des rues et des bois*. Dans le titre, les mots : « faite par Jeanne » sont une addition. Dates rayées par Victor Hugo : « Rueil (1825) » (datation fictive) ; « 5 mai 1875 » (75 en surcharge sur un autre chiffre).

42. Poème daté du 23 juillet 1875, après le vote de la loi Dupanloup sur l'Enseignement supérieur. La fondation de l'Institut catholique de Paris est de peu postérieure. Manière surtout de dire que le progrès n'en finit pas de « trébucher », par référence implicite au vote, en 1850, de la loi Falloux.

43. On lit dans un brouillon des premiers vers : « Je dis aux bois : laissez venir à moi vos feuilles ! Je dis aux nids : laissez venir à moi vos chants ! » Paraphrase de l'Évangile : « Laissez venir à moi les petits enfants » (Matthieu, 19. 14 ; Marc, 10. 4 ; Luc, 18, 16).

44. « Vainqueur » de l'insurrection de Juin 1848, au côté des « épaulettes vertes ». Victor Hugo avait ensuite rallié le parti des « vaincus », « comprenant qu'il allait droit à la proscription et y consentant » (B.N., nouv. acq. fr. 24777, fᵒ 7 ; ébauche pour le § VI de la préface d'*Actes et paroles*. *Avant l'exil*, « Le Droit et la Loi », juin 1875). Dans le récit en prose de l' « incident belge » (*Actes et paroles. Depuis l'exil*, « Paris et Rome », § IV, juin 1876), Victor Hugo décrit dans les mêmes termes les suites de la Commune : « Il y avait des vainqueurs et des vaincus ; c'est-à-dire d'un côté nulle clémence, de l'autre nul espoir. » En prenant cette fois encore le parti des vaincus, le « solitaire de la Place des Barricades » se condamnait lui-même à un nouvel exil. Expulsé de Belgique, il s'installa au Luxembourg, comme Rousseau à l'île Saint-Pierre après la lapidation de Môtiers (1765).

45. Voir d'autres « chansons » p. 186.

46. Variantes pour le titre : Les pages du devoir / (que Georges lira quand il sera grand) / Choses que Georges fera bien de lire quand il sera grand / Modèles de devoirs quand Georges aura vingt ans / Le côté sévère de la vie entrevu. — Victor Hugo a finalement choisi de destiner aux « petits » ces *choses* d'abord réservées à Georges.

47. Fragment issu du démembrement, au printemps 1870, du *Verso de la page*, poème consacré par Hugo à dégager la « loi de formation du progrès » (Pierre Albouy, « Une œuvre reconstituée de Victor Hugo », *Revue d'Histoire littéraire de la France*, juillet-septembre 1960).

48. Strophe composée d'abord en première personne : « Je viens... je suis... je crée... »

49. Sur le plan figurant en tête de la section dans le manuscrit (fᵒ 173), le poème est cité sous le titre : *L'âme à la poursuite de Dieu*. On rectifiera sur ce point la note de Pierre Albouy, p. 682, n. a.

50. Poème prévu un temps pour faire partie de *L'Art d'être grand-père*, entre *Les Griffonnages de l'écolier* et *Les bêtes, cela parle...* Publié dans *Toute la lyre*, II. 16.

51. Prévu pour faire partie de *L'Art d'être grand-père* à la suite de : *Mariée et mère*. Publié dans *Toute la lyre*, II. 3.

52. Une ébauche donne ensemble la quatrième strophe de ce poème ainsi que la troisième et la dernière strophe du *Syllabus* (XV, 2). Le trait final joue sur le nom de l'évêque Dupanloup. Publié dans *Toute la lyre*, II. 43.

53. Voir ci-dessus, note 10. Publié par Pierre Albouy (*Œuvres poétiques*, Bibliothèque de la Pléiade, t. II, p. 376-378).

54. *Toute la lyre*, VI. 18. Voir ci-dessus, note 29.

55. Ce poème appartenait au cycle *Toute la vie d'un cœur* Publié dans *Toute la lyre*, VI, 40.

56. Voir ci-dessus, note 6. Publié dans le « Reliquat » des *Chansons des rues et des bois*.

57. Autre version de la *Chanson de grand-père* (XVI, 1). Publié par Pierre Albouy *Œuvres poétiques*, Bibliothèque de la Pléiade, t. III, p. 1322.

58. Autre « chanson de grand-père » (*Toute la lyre*, XXIII, 14).

59. « Historique » de *L'Art d'être grand-père*, Imprimerie nationale, 1914, p. 621.

60. Après l'occupation du domicile de Victor Hugo, Place des Vosges, par les insurgés de 1848, le 24 juin.

TABLE